君偉上小學 **3**

3年級花樣多

文 王淑芬　　圖 賴 馬

各位大、小朋友，不管你現在幾歲，你一定曾經、或目前正是、或將要讀國民小學。

這一套【君偉上小學】，就是以國民小學為背景書寫的校園生活故事。

本系列一共有六本，分別是：

《一年級鮮事多》、《二年級問題多》、《三年級花樣多》、《四年級煩惱多》、《五年級意見多》與《六年級怪事多》。

你正在讀幾年級？最懷念哪一年級？

歡迎認識張君偉與他的同班同學們，請大家陪他們一起歡笑、一起成長。

目次

人物介紹 006

1　編班 008

2　科任老師 016

3　科學展覽 024

4　分組活動 034

5　生活公約 043

6　學寫字 052

7　男生和女生 062

8　主席報告 071

9　上作文課 080

10　拜訪與邀請 090

11　我愛美勞 101

畫者簡介 207

王淑芬的個人檔案 206

作者的話 204

附錄二 我的志願 203

附錄一 本班的生活公約 202

20 我的志願 190

19 關於詩 180

18 海報比賽 170

17 上體育課 160

16 生活競賽 150

15 廁所命案 140

14 升旗典禮 130

13 便當傳奇 121

12 愛護小動物 111

人物介紹

張志明
除了國語數學社會自然，
其他的我樣樣拿手。

張君偉
我是本書的主角，
我現在最會畫恐
龍。我說的故事都
是真的。

↑
白忠雄

我喜歡做生意，其他的沒意見。

↑
李靜

只要不是我的事，我都很熱心。

↑
陳玟

我擔任班長，立志為民除害。

↗
楊大宏

我學問淵博，是考試天才。

1. 編班

過完一個短短的暑假——別的書上都是寫「長長的」，但我可不這麼想；因為我連暑假作業都還沒來得及做，就開學了。

8

現在，我升上三年級了。

開學那一天，我和張志明約好一起上學，他變得又高又黑，開口閉口都是「我們三年級⋯⋯」，好像三年級是很特別的動物；尤其看見幾個一年級的小孩，胸前別著名牌，站在校門口，拉緊媽媽的手，

哭聲驚天動地，我們便一齊搖頭說：「唉，低年級。」那

一進教室，我發現很多人變得「面目全非」。

個戴眼鏡的林世哲，從「貓臉」變成「馬臉」了；我

最頭痛的人物——連續兩年坐在我隔壁的女霸王李

靜，居然沒有劈頭罵我：「張君偉，你遲到四十五

秒。」反而靜悄悄的坐在椅子上，裝模作樣的看一本

《星座占卜法》，真是天下奇聞。最不可思議的是，

她笑的時候，竟然還從口袋裡拿出手帕來摀著嘴。

唯一沒有變的是老師。她臉上的青春痘一顆也沒

有減少。她的聲音也沒有變，很溫柔的說：「老師不

能再教你們了。等一下要重新編班，會有更好的老師

來教你們。」其實，我想老師真正的意思是：「我如果再教你們，準會發瘋。」

想想，光是應付告狀大王林世哲、小猴子張志明，還有在黑板上記滿黑名單的王婷，就夠老師頭大了。現在終於可以擺脫他們，老師一定暗自慶幸。不過，說不定她又接了一個更「恐怖」的班級，裡頭也許有超級頑皮鬼。唉，希望老師運氣別那麼壞。

正和張志明大談游泳姿勢的時候，一個瘦瘦高高的男老師走到前門，和老師打了聲招呼，便開口大喊：「唸到名字的請站出來，你們編在三年一班。」

太好了。我終於可以擺脫李靜了。這個超級管家

婆無所不管，連我啃排骨太用力，也遭她抗議，說會影響她的食慾，讓她發育不良。如今，全班就要打散到十四個班去，平均每三個人才有可能又同班。我總不會那麼倒楣，又和她狹路相逢吧？

一連六個老師過去，帶走十八個同學了。留下來的人，你看我，我看你，心情都很緊張。我暗自祈禱，希望能被一個美麗動人的女老師教到——最好是江美美老師，她長得很像明星。

又一個老師走過來了。天哪！是全校有名的「暴龍」老師。他那一雙眼睛盯著你看的時候，你會忍不住自動招供所有的罪行：「我……我剛才在心裡……

12

偷……偷偷罵你。」他就是那樣的老師，威嚴又古板。千萬別讓他叫到我的名字。

「現在唸到的是三年七班，請跟我出來。」暴龍老師發出低低的吼聲。我們都不安的等待答案，誰會是落入全校最凶猛老師手中的可憐蟲？

「張志明。」哇，小猴子要變成小蟲了。張志明垂頭喪氣的走到暴龍老師身邊。

「張君偉。」

「李靜。」

我的媽呀！我現在知道什麼叫「禍不單行」了。

暴龍老師加上女霸王，我三年級的日子一定很悲慘；

幸好，還有張志明作伴。

我們三個人背著書包，步伐沉重的隨暴龍老師走到三年七班教室門口。

「快進去。」暴龍老師推了推我們。奇怪的事發生了——教室裡面居然坐著美如天仙的女老師，正是我夢寐以求的江美美老師。

「江老師，這三個學生是你的。」暴龍老師露出笑臉，用綿羊般的聲音對江老師說。

「謝謝你。」江老師笑起來好迷人。「我穿了高跟鞋，不方便跑，多虧你替我找齊學生。」

然後，她對我們三個呆在那兒的傻瓜溫柔的一笑：

「歡迎成為三年七班的一分子。」

嘿，未來三年級的日子，一定很精采。

張志明的讀後心得：

天下沒有不散的筵席，天下也沒有不散的班級。

老師評語：

感謝上天。

2. 科任老師

升上三年級，我老是覺得有點兒異樣的感受。這可不是說我不正常，而是有一種快要飛上天的輕盈感。張志明說這是「驕傲」，俗稱「臭屁」。

既然已經是神氣的大孩子，自然不應該動不動就大驚小怪，一副沒見過世面的呆樣。但是有件事，實在不得不叫我驚奇，那就是三年級的科任老師。

雖然低年級時，也有兩位科任老師，可是現在，除了級任江老師以外，還有「一大堆」科任老師：音樂老師、自然老師、體育老師、英語老師。我實在沒辦法一下子記住他們的姓名，只好讓他們姓音名樂，或姓自名然。更妙的是，上這些課的時候，就得到不同的教室去。其中，我們最愛上自然課；因為自然教室放了很多標本。有個半人高的毒蛇標本是我們共同又愛又怕的寶貝。

自然老師鼻梁上架了副眼鏡，頭髮亂糟糟，讓人懷疑裡面是不是偷藏了一隻鳥媽媽，正在孵蛋。第一次上課，他就拉起窗簾，放映影片給我們欣賞。黝黑

的天幕裡，點點繁星閃爍，地球顯得十分渺小。老師說，自然課就是要帶我們探索宇宙奧祕、萬物神奇，還要研究天地間許多科學現象。大家聽了，都覺得興趣盎然，立刻就愛上了自然課。張志明告訴我：「太好了，希望老師常常放影片，教室暗暗的，睡起來好舒服。」

科任老師教了好幾個班，在他們的「成績登記簿」上，抄滿

各班學生的姓名。自然老師還說，他一定要在一個月內，把五個班的學生姓名全背下來。

我們一個星期頂多和科任老師見兩次面，所以大家都不怎麼「怕」他們。因此，上科任課的時候，總比在原來教室更活潑，也更大膽。張志明就常在音樂課時偷看漫畫，音樂老師記不得他的名字，每次只能很生氣的說：

「坐在窗戶邊那個黑黑的高個子，我要沒收書了。」

漫畫書是白忠雄帶來的，張志明用三顆彈珠向他租來看。

音樂老師的身材十分雄偉，唱起「多、雷、米」來威震教室內外。她總是要我們把手放在肚子上，學

習用肚子呼氣、吸氣。這是十分困難的「內功」，害我簡直不知道該怎麼呼吸才對。

她還有一句口頭禪。每當我們在底下談天、說話，不聽她唱歌的時候，她便皺起眉頭說：「平時你們得買門票才能聽到這種天使般的歌聲，你們居然暴殄天物，不懂珍惜，還吵！」接著便是：「三年六班的水準就比你們高，上音樂課又安靜又乖巧。」

我覺得音樂老師的話有些誇張，上音樂課還能安靜嗎？不過，她這一招「激將法」很有效。班長陳玟便在級會上慷慨激昂的告訴全班：「不要輸給三年六班，不要丟我們班的臉。」

真的，我們是不能輸給六班。上個星期的躲避球賽才被他們打得好慘哩！武的不行，文的總要贏吧？

可是，儘管我們上音樂課的時候多麼「乖巧」，連張志明都很用心的捏著脖子唱「什麼圓，圓上了天」，音樂老師還是經常感嘆：「三年六班比你們好多了。」

可恨的六班，到底有什麼本事？

終於有一天，答案揭曉了。

那一天，輪到我和張志明去抬便當。為了讓我們有充裕的時間用餐，江老師要我們提早五分鐘去抬。經過音樂教室。哇，真的很安靜，正是三年六班在上課。

我看到六班的班長低著頭在教室前面罰站。

然後，我們很清楚的聽到音樂老師從腹部發出

來，強而有力的聲音：「告訴你們多少次了，上課不要吵，吵，吵。你們為什麼不學學三年七班呢？人家多麼有水準，又安靜又乖巧。」

三年六班班長的讀後心得：

科任老師這樣騙來騙去騙來騙去，也是用心良苦。我們應該逆來順受，以便將來造福人群。

音樂老師評語：

真是懂事的好孩子。

3. 科學展覽

如果現在老師要我寫一篇作文，題目是「我最喜歡的一堂課」，我一定毫不猶豫的選擇自然課。

還有什麼課能讓人玩水、抓蚯蚓、用三稜鏡製造彩虹呢？自然課太妙了，尤其自然老師既風趣又博學。他常說：「自然就是美。」他並且要我們用「心眼」來體會大自然的奧妙。這一句話聽起來真美，不

過有點兒玄。我知道近視眼、青光眼，心眼又是什麼？

張志明向我解釋：「長在心上的叫做心眼，意思是要用心看。升上三年級，我變得既聰明又浪漫啊。」我才不認為張志明變聰明呢，他說的這番話，八成是從電視連續劇裡常出現，他八成是要我們懂得欣賞大自然。總而言之，我想自然老師就是要我們懂得欣賞大自然。

今天，才踏入自然教室，就看見老師拿著我們的名冊在寫些什麼。原來，有個偉大的競賽要開始了。

「一年一度的科學展覽，目的在鼓勵大家更具探

索精神。」自

然老師說得頭頭是道。「等

一下我會將全班分成六組，請每組找

一個主題來實驗、研究。當然嘍，做得最好的那一組，可以代表本班參加全校的競賽。」

我和張志明、楊大宏、白忠雄同一組。楊大宏是副班長，戴眼鏡，一看就是個「天才兒童」模樣。他在下課時拉著全組到廁所外面共商大計。

「我們一定要想個了不起的題目來做，這樣才能

打敗班長那一組。」大家都一致同意；因為我們這些男子漢和大嗓門班長是誓不兩立的。何況，管家婆李靜也在那組，我們怎能輸給她們？

「我們可以先派一個奸細去打聽她們的題目。」

張志明突發奇想。

「嗯，很好。」

楊大宏推推眼鏡。「不過，應該叫間諜，不是奸細。」

最後，我們公推白忠雄負責這個任務。白忠雄很會做生意，常常帶漫畫書來租給同學。女生總是用一塊巧克力換一本書看。白忠雄說出他的計畫：明天帶五本漫畫書來「收買」李靜。

李靜卻對漫畫書沒有興趣，她現在只對星座和算命著迷。計畫雖然失敗了，不過楊大宏說：「男兒當自強。」我們決定找個嚇死女生的大題目來研究。

什麼是最偉大的科學研究呢？

「恐龍！」張志明首先叫出聲來。「我有很多恐龍貼紙。」

楊大宏不滿意，他認為恐龍已經滅絕了，沒有研究的價值。我們陸陸續續又想到幾個題目：「月亮為什麼不會撞上地球」、「外星人的生活方式」、「太陽系行星的地質研究」、「海洋到底有多深」。不過，一想到如何進行實驗，就令我們傷透腦筋。想想看，我才剛學會水中換氣，叫我怎麼去量海水多深？

後來，我們又自動降低水準，乾脆做些比較實際又有趣的觀察。雖然不算很偉大，可是一定比女生的精采。比如，她們敢靠近蛇嗎？我們正打算做「臺灣毒蛇的毒牙研究」哩。

這一個題目是張志明提供的，因為他有一個叔叔

在臺北華西街賣蛇肉湯。根據他的說法，我們可以利用假日去他叔叔那裡研究，而且，說不定還能喝到蛇湯。

正當我們沉醉在對美味蛇肉湯的幻想的時候，張志明卻又突然宣布不能去了；他叔叔在星期五晚上被警察「抓」了。原來，他的叔叔是個擺地攤的小販，非法偷賣蛇，被取締了。

唉，我們的偉大科學研究一再泡湯，眼看後天就是自然老師要我們提交報告的日子，怎麼辦呢？

楊大宏最後從書上抄了一個實驗，寫在報告紙上，我們全都鬆了一口氣。老師說，這一次科學展覽

要當做一次平時考的成績。如果我們交不出作品，不就零鴨蛋了嗎？我可是從沒考過零分啊。

我們抄的這個實驗正好跟蛋也有關係，就是

研究加多少鹽的水

才能讓蛋浮起來。事實上，為什麼要使蛋浮上來，我也搞不懂。楊大宏說是在探討「密度」、「浮力」，我倒認為，把那個蛋煎來吃多好，泡在鹽水裡不就壞了嗎？

競賽那一天，各組神祕兮兮的把實驗品擺在桌上。哇！真是琳瑯滿目。還有一組帶了一窩白老鼠來呢。

猜猜看，班長那一組做什麼？笑死人了，居然也是「鹽水泡蛋」。

不過，笑她們等於笑我們自己。

「明年，我們一定做一個很偉大的。」楊大宏下

課以後，又召集我們商討未來計畫。「我們就做：世界上蛋的種類吧。」

唉，我都快變成傻蛋了。

張志明叔叔的讀後心得：

「科學」是很偉大的，如果還需要蛇，我再去抓給你們研究。

老師評語：

謝謝。但是為了維護校園安全，請勿讓小朋友帶蛇來學校。小白鼠還可以，我敢抓。

4. 分組活動

每星期二下午有兩堂「分組活動」（註），那是我們最開心的時刻。

第一個星期，老師先問大家，對什麼課外活動最有興趣？張志明舉手說：「騎腳踏車。」不過老師說，學校沒有這樣的課。後來老師發了一張單子，要我們帶回家和爸媽商量，選一個自己最感興趣的組參

學英文的孩子不會變壞。

學音樂的孩子也不會變壞。

加。

回家的路上，楊大宏告訴我們，他爸爸一定會要他選電腦組。張志明說他要選扯鈴組，因為電視上說，有個國小扯鈴隊到國外表演，他希望將來也能到美國。楊大宏搖搖頭，說：「為了出國才扯鈴，真是胡扯。」

晚餐後，爸爸拿著這張興趣調查表，坐在

沙發上仔細的研究。

「美語會話組。」他大叫一聲。「太好了，我一直想學好英文，下次出國玩才方便。」

媽媽提醒他，是我上課不是他上課。不過，媽媽也贊成這個組，因為「學講英語的孩子不會變壞」。

我早就對媽媽這句口頭禪習慣了。在她心目中，所有要交錢學習的課程，都不會讓小孩變壞。

我提出了意見：「美語會話沒意思。」想想看，兩節課都坐在教室學講話，多累呀。

爸爸只好再提出一個選擇，這次他看中的是「詩歌朗誦」。

「多有氣質，順便練習國語的發音。要知道，將來在公開場合，如果能說一口流利的語文，比較吃香。」爸爸分析得頭頭是道。

我不想吃香，吃香腸還可以。

「要不然，樂器演奏好了。大家都說，學音樂的孩子不會變壞。」

媽媽就不能換句台詞嗎？

「啊，科學組也不錯，可以訓練頭腦。」爸爸拿起筆，指著科學組那一欄，鼓勵我參加。

可是，我每個星期已經上四節自然科學課了。

「就選作文組好了，文筆好很重要。」媽媽考慮了很久，做最後結論。

但是，我全沒興趣。我告訴他們，我最想參加「烹飪組」。爸媽好像不能接受這件事。爸爸瞪大眼睛，媽媽卻笑得說不出話來。

其實，我也想參加「編織組」，不過，媽媽一定會大加反對。上次，我給妹妹的娃娃綁頭髮，她就大驚小怪：「你是男生，別搞錯。」媽媽忘了，電視上那些很厲害的髮型設計師，很多都是男生呢。

聽了我的決定，爸爸問：「烹飪組有什麼用？」

媽媽卻笑著說：「好吧，讓他知道煮飯燒菜是多麼辛苦也好。」

才不辛苦呢，上烹飪課最有趣了。第一次上課時，我們做的是饅頭。非常簡單，只要把麵粉加些水，揉來揉去就可以了。

由於分組活動是將各班打散，再另外編組，所以在烹飪組中，我居然又和以前的班長「恰北北」王婷重逢了。她坐在我後面，不過我們已經化敵為友，因為用麵粉丟來丟去太好玩了，我們玩得很開心。

王婷還建議，一面揉麵團，一面捏麵人。別人做出來的是饅頭，我們倆做了一堆「人頭」。

回家後，我還向媽媽借廚房來預習和複習。媽媽說，這是有史以來，我第一次主動要溫習功課，可惜溫習的是「揉麵團」。

張志明對扯鈴也很熱衷，每節下課，都拉著我到操場看他表演。

「看，這一招叫『一步登天』。」他想把扯鈴沿著繩子滾上去，可惜，功夫還沒到家，扯鈴不想登天，反而掉下來，砸到他的腳，痛得他哇哇大叫。一步登天成了「一落千丈」。

分組活動真好。下個學期，

我還要換個口味，改選——噓，先別讓我媽媽知道，

我要選「家事組」。李靜說，家事組的老師教她們縫

扣子，縫手帕。

我上次和妹妹玩扮家家酒的時候，不小心把媽媽

的裙子踩裂了，現在，我得想辦法把它縫好。

分組活動真有用。

註：現在改為「團體活動」，各校活動方式不盡相同。本文是指讓全年級學生依自己的興趣，挑選組別來參加。

君偉媽媽的讀後心得：

學校開烹飪課當然有它的道理，無論多偉大的人，都要吃飯。

5. 生活公約

最近我發現一個真理，就是天下的班長都是一樣的，尤其是「女班長」。

低年級時的班長王婷，她每天上學的目的是站在黑板前記名字；現在的陳玟，也一樣記名字，只不過她是記在一本筆記簿上，連誰被記了都看不到。她真夠殘忍，張志明說她是「殺人不見血」。

幸好，筆記簿上的名字傳到江老師那裡，也沒有「見血」。老師總是說：「再給這些人一次機會。」

老師實在很大方。陳玟在下課時，警告張志明：「老師已經給你九次機會了，下次她一定不會饒你。」

張志明還回她一句：「集滿十個，再送一個。」

結果，陳玟氣得甩甩辮子，「哼」一聲翹起嘴巴走開，跟王婷簡直一模一樣。她們很有可能是失散多年的雙胞胎姊妹。

最妙的是，當她們站在台上管秩序時，說的話居然也一樣。「再吵，老師就不教我們了。」或者是「再鬧，老師會被你們氣死。」

可是，老師不但沒有氣死，而且還一直教我們。最後，「氣死」的是班長陳玟自己。她私底下叫一些女生，利用級會時間來攻擊男生。攻擊的目的，是要制定一些處罰的辦法來修理愛講話的人。當然，這些人都是男生，在班長眼中，男生全都是大

嘴巴。

老師不在的時候，跟同學討論昨天的電視節目，談談家裡的小狗，真可說是「善用時間，友愛同學」，怎能算是不守秩序呢？

級會時，李靜第一個舉手發言。這一定是班長指使她的。她憤恨不平的說：「有些男生上課不守秩序，害我們拿不到生活競賽冠軍，我們三年七班會惡名遠播。」她居然還使用成語加強語氣。

主席——也就是班長，滿意的點點頭，也使用成語來回答，可見她們一定是串通好的：「為了使本班重振名聲，我們一定要想辦法懲罰不守秩序的人。」

46

她說到「的人」時，特別看了張志明一眼。張志明不甘示弱，馬上舉手問：「什麼樣的人才叫不守秩序的人？」

班長想了想，反問全班：「你們認為呢？」

李靜又發言了：「上課偷看漫畫，還跟後面的人說話，害老師彈錯琴；像張志明那樣。」大家都知道，張志明上音樂課時一定夾帶漫畫書的。

張志明果然機智過人（他除了上課、考試不如人，其他方面都很行），馬上回她：「那麼像李靜那樣，上數學課偷看《星星王子談星座》，又偷吃酸梅，算不算呢？」

接著，大家便發揮記憶力和觀察力，互相指責。一些平時大家不知道的小祕密，這時全曝光了。

經由白忠雄的控訴，我們驚訝的發現，班長在上自然課時，把她們那一組的「變色紙」——本是用來測試有沒有水分的試紙，在五分鐘內一口氣「玩」光了；

最後是用三張貼紙和白忠雄換一張變色紙做實驗。班長非常生氣，也可能是羞愧，紅著臉大聲說：「我是不小心的，我正好坐在水槽旁邊哪！」

大家吵得不可開交時，老師走到台前，笑著要我們冷靜一下，平息火氣：「本來，級會時老師是不可以中途插嘴的。不過，現在我要給你們一個建議。既然大家對班上的秩序這麼關心，就一起制定本班的『生活公約』吧。」

老師繼續說：「大家共同想出幾點規定，全班通過就一律遵守。當然，你們最好想想清楚，這些規條要合理，而且將來是你自己心甘情願必須遵守的喔。」

本來把手舉得高高的李靜，一聽到「自己也要遵守」這句話，立刻放下手，皺起眉頭。她大概想到，如果訂個「上課不可以偷看別的書」，不但張志明痛

苦，自己也受害吧。

全班頓時靜默，大家都安靜的想著「自己能心甘情願遵守」的生活公約。

班長終於開口了：「為了本班的榮譽，我們當然要有生活公約。我建議第一條是……」

大家都瞪大眼睛等著她的答案。

「是……不遵守生活公約的人，我就要登記下來。」

真是一貫的「班長作風」。

真的，生活公約太難訂了。誰願意畫一個大圈圈，把自己關在裡面，不跳到外頭玩一玩呢？全班想

了半天，機智過人的張志明總算說出一個答案，這個答案獲得大家一致通過，連老師也很滿意。那就是：

自己管自己。

至於怎麼管呢？隨便你。這是班長說的。

李靜的讀後心得：

自己管自己，老師請休息。

老師評語：

老師別想休息。

6. 學寫字

當我看見江老師抄在黑板上的功課表時，有點兒不敢相信自己的眼睛。我一面抄，一面小聲的問隔壁的葉佩蓉：「星期二第七節是寫字課嗎？」（註）

她瞪我一眼，回答：「你自己不會看？」

我就是看見老師抄「寫字」，才懷疑的呀！怎麼可能有這樣的課？我們哪一節課不是在寫字呢？為什

52

麼特別開這一節課？

老師終於說明了：「寫字課就是書法課，我們要練習以毛筆寫字，保證大家會喜歡。」

我們果然都很喜歡：因為寫字課的用具太好玩了。

第一次上課之前，老師抄在聯絡簿上的書法用具包括：中楷毛筆，硯台，墨或墨汁，墊布或舊報紙。

最後，最重要的是：抹布。

媽媽嘆了一口氣，說：「古時候的歐陽修就簡單多了，他的媽媽只給他一堆沙子和一根竹枝，就可以教他練習寫字。」

如果媽媽也給我準備沙子和竹枝，我會更高興；

我可以用來玩「過五關」。

上寫字課了，老師離我們遠遠的，站在講台上，示範如何磨墨。

「倒一些水在硯台上，墨條蘸溼，均勻的在硯台上磨一百下。」老師還沒有說完，張志明就開始磨了，不過，他的樣子比較像在打蛋。

我剛數到五十，就聽見陳玟的慘叫：「哎喲！張志明的墨噴到我的衣服了。」

陳玟雖然準備得很充分，兩手各套了腕套，又特地把椅子拉近桌子，離張志明遠遠的，不過還是難逃一劫。

「小朋友要注意，磨墨時要專心，不要濺出來。同時，毛筆蘸上墨後，也不要甩。」

老師才一說完，張志明立刻拿起筆來。據他說，他只是輕輕「抖」了一下，沒想到，墨汁又噴到前面陳玟的背上。這下子，陳玟的衣服上已經有六個黑點。張志明說，再加一點，就可以畫成一隻七星瓢蟲。

陳玟非常氣憤，可是張志明不是故意的，看在他

努力學習國粹的份上，陳玟只好接受老師的安慰，回家再用強力漂白水清洗。

大家都非常興奮，小心翼翼的學老師，把手抬高，用很直很直的姿勢握住筆桿，模仿古人，在棉紙上練習寫字。第一個字是一撇，雖然不算字，可是還真難寫。

老師說，下筆要慢，想像自己心情愉快，很悠閒，把這一撇拉成一道美麗的弧線，像美女的眉毛。

我非常小心，在腦中想，美女的眉該是什麼樣子？結果太緊張了，撇成一團黑，倒像是《三國演義》裡張飛的眉。

白忠雄帶的是墨汁，不必磨墨，直接用毛筆蘸上墨就可以寫。問題是，當他一打開墨汁瓶蓋，全班立刻傳來抗議聲：「好臭哇！」他還好心的告訴

我們：「墨汁比較省，一瓶才十塊錢。」

不久，他擺在桌子上的墨汁，被李靜碰倒了。這一下子，不但沒有「比較省」，還花了半節課的時間拖地，洗李靜的襪子。

每當有小朋友拿著筆跑到講台前，問老師怎麼「提腕」、「懸腕」時，老師都用抹布東擋西掩的，生怕一不小心，就破壞了衣服的「清白」。

下課鐘響了，老師好像鬆了一口氣，高聲的提醒我們，把剩下的墨汁小心倒回去，在水槽洗筆時不要甩。同時，又笑著告訴我們，她很感動，因為我們的寫字課學習態度很好，全班都很專心，很認真。她

58

說，從我們每一個人的「臉上」可以看得出來。

大家趕快跑到廁所去照鏡子，果然，每個人的臉上都化了「黑」妝。張志明的最巧，正好一團墨汁塗在鼻子上，他用手去抹，愈抹愈擴散，最後變成了「烏鼻大將軍」。

我把寫字簿帶回家給媽媽看。媽媽很有耐心的從第一個一撇欣賞到最後一撇。最後，點點頭說：「書法果然是一門高深的藝術，相同的一撇，你就有三十

種不同的撇法，屬害，屬害。」

張志明還教我一個祕訣。他說，寫的時候要故意發抖，這樣，寫出來的字會更藝術，這是他哥哥說的。他哥哥在市場賣豬肉，據張志明說，他切肉的時候也是抖抖的。

沒想到三年級的寫字課這麼有趣。我要趕快練成一手好字，下次就可以幫爺爺寫春聯。句子我都想好了：「恭喜新年好，紅包不能少。」有押韻喔。

註：從前小學每週皆有書法課，目前已改為由各校自行決定要不要上。

君偉媽媽的讀後心得：

我們的祖先很偉大，敢讓孩子天天用毛筆寫字。不知道他們洗衣服的偏方是什麼？

7. 男生和女生

在我家，嗓門最大的是媽媽，在學校，我是指我們班上，聲音最大的是班長陳玫。江美美老師說她的聲帶發炎，不能天天大聲說話，所以指定陳玫當她的「發言人」。從此，全班便籠罩在陳玫的魔音管制中。

我真搞不懂男生為什麼這樣苦命。陳玫的口頭禪是：「男生再講話，就罰掃廁所。」如果我們抗議：

「女生也在說話。」她便大喝一句：「她們是在討論功課。」

其實，她們是在討論「血型與個性」，白忠雄可以作證。他昨天把這本書帶來的時候，李靜立刻用五張測驗紙向他「租」看三天。據說血型是O的，脾氣急躁。果真如此，陳玫應該是典型的O型，偏偏她宣布自己是文靜的A型。當我們露出懷疑眼神的時候，她又大喝一聲：「人家文靜也不行嗎？」如果這樣叫文靜，虎姑婆也可以去競選世界小姐了。

總之，我們男生很不服氣，總想找機會贏女生，尤其若能壓壓陳玫的霸氣更好。偏偏每次考試，陳玫

必定名列前茅；打躲避球時，她也常砸「死」很多男生。每次我們向老師告狀，老師便說：「你們現在正是男女生互相仇視的年紀，等到以後，就會很喜歡對方。好好和平相處，不必計較。」

我不能想像喜歡女生是什麼樣子，喜歡一隻蜥蜴可能還容易些。

李靜更是一個具有性別歧視的人。她的綽號是「李大師」，因為她會算命。平時，李靜十分厭惡課本，九九乘法到目前只背到「八七乘法」。可是，她對各種星座、血型、生肖的書十分著迷，到處向別人借來看，然後，以一副「命相大師」的姿態出現。你可千萬別讓她知道你的八字——就是出生年月日，她會胡亂說一通。我並不是對算命沒興趣，只不過，我對她的道行頗為懷疑。

以一個國語常考七十多分、錯別字連篇的人而

言，怎麼可能搞得懂如此複雜、神祕的學問？我可沒有胡說。有一次，我親耳聽到她對張志明分析：「依你的星座，個性要常常『收險』，也就是多去給人家『收驚』，才不會樹立敵人。」

後來，我偷偷翻了翻擺在她桌上的「星座學」，裡面並沒有「收險」，只有「收斂」。我雖然不懂什

麼叫「收欸」，但總覺得跟收驚應該沒有關係。張志明聽了我的話，拍拍胸脯：「還好不必去收驚，那個收驚的阿婆每次都叫我喝一種黑黑的水，好噁心。」

我曾經很誠懇的勸告李靜，如果她國語讀通一些，算命會更準。她卻認為自己有特異功能，只要看對方的臉，就知道他的命好不好。她並且瞪我一眼，鐵口直斷我的命不好。關於這一點，不必她說我也知道，跟這麼不講理的女生同班，怎麼算好命？

最叫人生氣的是，同樣的血型，她卻有不一樣的「算」法。例如：陳玟的A型，是「文靜、謹慎」；白忠雄也是A型，卻是「膽小、怕事」。江美蓉屬水

瓶座，李靜形容為「有自信，頭腦冷靜」（其實江美蓉看到螞蟻就尖叫，一點兒都不冷靜）。同樣的水瓶座，在楊大宏身上卻變成「沒有耐性，不懂得節省」，更不幸的是「容易得心臟病、神經痛」。

最不公平的是，我們班女生比男生多五個人。也就是說，跳課間舞的時候，每一個男生都得跟女生牽

膽小怕事

文靜謹慎

手，完全沒有機會保持「清白」。儘管每次牽過手，我們就趕快用肥皂洗乾淨，可是，張志明卻說：「一牽手，女生的指紋就印在我們的手上，永遠洗不掉。」

媽媽笑我：「在家都不肯洗澡，怎麼到學校變得愛乾淨，猛洗手了？」

我們曾在級會時候提出臨時動議，要求老師讓男女生分開跳，不要牽手。老師卻問張志明：「我也是女生，難道你不願和我牽手嗎？」

張志明想了想，回答：「老師，您不一樣，您是『婦人』，不是女生。」

不管怎麼說，要我喜歡女生，免談。

六年級學長的讀後心得：

話別說得太早，世事難料。

老師評語：

不必討厭女生，也不必急著愛女生，世事難料。

8. 主席報告

前幾週開級會（註），都是由班長陳玟擔任主席。她是一個極度偏心的主席，老是藉這個機會批評男生，不是秩序太差，便是掃地時偷懶。

雖然她說的都是實話——導護老師在晨間活動來打分數時，張志明總是和白忠雄在下象棋，玩得大呼小叫；而整潔活動時，我和楊大宏也總是偷溜出去打

球（當然全是為了女生好，我們把掃地的機會留給她們，以培養她們的勤勞美德，同時鍛鍊體力）。不過，身為主席，應該顧及全班，如果老是批評這個，攻擊那個，這樣的會議多乏味呀。

幸好老師很「英明」。今天，她一進教室就宣布：

「從本週起，每次級會，輪流由全班推選一位主席，大家都有機會上台訓練領導能力。」

結果，本週的級會，全班一致推選張志明當主席。

最大的原因是平時他的意見最多，發表意見的時候總是滔滔不絕，有時候甚至和主席舉行一場臨時辯論大會。

72

張志明抓抓腦袋，問老師：「主席……，主席要做什麼？」然後又抓鼻子，抓耳朵。每次他答不出老師的問題，便有這個招牌動作。

老師解釋：「主席要負責主持會議，讓會議順利進行。你一邊當，我一邊教好了。」

張志明站上講台，對著全班傻呼呼的笑。

司儀喊：「全體肅立，主席就位。」他也跟著喊：「就位。」老師趕快說明：「這是請主席站好，

不必說話。」

「主席報告」的時候，他先抓抓頭，然後開口

說：「各位同學……喔……各位老師……不對……，

老師……現在我們舉行級會，那……級會就是，要請

大家說話。想說的就說，不想說的就不要說，也可以

不必說。」

老師微笑著等他把這番廢話說完，才提醒他：

「把本次會議的重點報告一下。」

「嗯。」張志明點點頭，繼續傻笑。「等一下請

各股股長報告上一週本班的優缺點。對了，上週我們

班的秩序沒有得冠軍，這全都是有人在早上吵鬧。希

望這個害群之馬要改進。」他的成語用得挺好，只是，他好像突然忘記這個「害群之馬」就是他自己。

「然後，我們要討論『怎樣才算營養均衡』。這是訓導處訂的主題。」張志明真不賴，開始頭頭是道的說起來。「如果同學對班上有意見，也可以提出來討論。現在，就進行今天的級會。」

老師讚許的點

點頭。張志明面帶得意，抬頭挺胸的走下講台，站在黑板旁邊。

像從前一樣，各個班級幹部開始輪番上陣，將全班的缺點提出來檢討。每個人的最後一句話，都是「希望這個破壞班級榮譽的人要改正」。更奇怪的是，一律加上「轉頭看主席一眼」的動作。

張志明有點兒不好意思，嘴裡囁嚅著不曉得唸些什麼，看他的嘴形，似乎是在說「我哪有？」

幹部報告完，張志明又站上講台，在黑板寫上

「怎樣才算營養均衡」，然後請大家「踴躍發言」。

像從前一樣，大家先是一陣沉默——除非有人第

一個舉手開頭，主席總得自己先找話說。以往，陳玟都能口若懸河的發表長篇大論。這次，大家全盯著張志明看。

張志明看看大家，咳嗽幾聲，又轉頭看看題目，開口說：「營養要均衡，才能健康。」

他想了想，又說：「要健康，就要營養均衡。」

其實，我不大懂什麼叫「均衡」，其他同學可能也不知道吧？沒有人舉手，全班十分安靜。

張志明只好說：「什麼都要吃，才有營養，才算均衡。」

聽起來似乎有點兒道理，連老師都笑咪咪的看著他，等他繼續往下說。

「嗯⋯⋯」張志明又抓抓頭。「比如說，青菜有

青菜的營養，豬肉有豬肉的營養，什麼都有營養，都

要吃，不可以挑食。」

他看了看大家，可是仍然沒有人舉手。「嗯⋯⋯」他

所以，都要吃。例如我雖然很討厭苦瓜和青椒，」

吞了一下口水，「可是，它們

很有營養，老師也說過，所以

我們要忍耐，還是一定要吃。

吃的時候可以閉緊呼吸。」

他同時示範了一個「停止

呼吸、翻白眼」的動作，把全班

都逗得笑起來。

他自己也笑了，又補充說：「苦瓜和青椒是很補的，有益健康，要多吃。」

我希望永遠不要當主席。當主席犧牲太大了。可憐的張志明，他以後得天天吃青椒了。

註：從前小學為了培養學生的民主素養，每二週有一節課，讓全班舉辦班級會議，討論班上事務。

9. 上作文課

假設現在給你一張紙，上面有五百個格子，要你利用兩節課時間，在上面寫滿「唸起來通順」的字，而且全部都要自己想。你有什麼感覺？

「光陰似箭」，這是我對作文課的感覺。因為我才在紙上填滿十格，就聽到下課鈴響了。

雖然老師一再強調：「大家不要怕作文，只要像

說話一樣，把要講的內容寫出來就行了。這叫『我手寫我口』。」可是，不知怎麼的，每次一看到黑板上的題目，我就忽然變成啞巴。

「看清楚題目的意思，不可以離題。根據主題，擬定每一段的大綱，然後就可以寫啦。」老師笑容可掬的寫下「我的媽媽」四個字。

「第一段可以描寫媽媽的長相、年齡，第二段寫她的特點，最後，再加上心得。」老師給了我們簡單的提示，便讓我們開始動筆。

我拿出鉛筆，數好空格，寫上：「我的媽媽名叫林妙英，但是我都叫她媽媽。」我覺得這一句完全是

廢話，可是，我一時又想不出其他的話。

隔壁的葉佩蓉寫的是：「我的媽媽長得不高也不矮，不胖也不瘦。」我好心的口頭指導她：「可以再加上不黑也不白，不好也不壞。」她卻不領情，說：

「要你管！」

陳玟好像沒有被難倒，低著頭寫個不停。有時候，她停了一下，抬起頭看看窗外，然後便又「沙沙沙」寫了好多。難道窗外有什麼「作文祕訣」？我看了半天，只看到一朵雲從冰淇淋變成雞腿、炸排骨、紅燒獅子頭……，全是媽媽的拿手菜，愈想肚子愈餓。

82

白忠雄最忙了，他每寫一下，就拿起橡皮擦來回擦三下。不一會兒，就舉手向老師報告：「我的作文簿擦破了。」老師靠過去看了看，對他說：「想好再寫。否則像你這樣，寫三個字擦兩個字，得寫到什麼時候？」

楊大宏一向富有科學實證精神，十分謹慎。他幾乎每隔三分鐘就跑到前面，問老師：「勇敢的敢怎麼

寫？」「嗓門的嗓怎麼寫？」不經老師確

定，他絕不輕易下筆。老師大

概被他問煩了，回答他：「我

怎麼成了『江字典』了？要不

要我教你『一、二、三』的

鏡，很嚴肅的問：「您說的是哪

『一』怎麼寫呀？」楊大宏推推眼

個『一』？」

快要下課了，老師說：「今天沒有寫完的，可以

帶回去慢慢補，明天再交。不過，可別叫別人代寫，

也不可以抄襲，那就沒有意思了。自己作的文章才有

84

意義。」

陳玟和張志明卻向老師報告，他們已經寫好了。

老師很驚訝，拿起他們的作文簿，一頁頁翻看起來。「嗯，很好。」老師一面看一面點頭，並且大聲的把陳玟的作文朗讀出來，供大家學習。

聽完之後，我只有一個感想，就是「騙人」。因為陳玟用了很多不可思議的句子來形容她的媽媽。比

如「我的媽媽不眠不休的照顧我」（其實，她媽媽每天睡到早上十一點，她自己說的），還有「她總是對我輕聲細語。」（我記得陳媽媽送便當來的時候，都是大聲嚷嚷：「阿玟，快拿去，必須吃到一粒米都不剩。」）可是老師卻一再稱讚她：「作文就是要多使用高級的形容詞、成語。陳玟平時愛看書，難怪詞彙應用得很好。」

老師並且教大家，作文可以「加油添醋」。就是一個平凡的句子，加上各種聲音、動作、色彩、氣味等，使它「有聲有色」，句子便會活潑精采。

「她很美。」老師在黑板寫三個字，要大家「加

油添醋」一番。最後，全班你一句我一句，變成了：

「她擦了紅色的口紅，藍色的眼影，黑色的眉毛，白色的粉底，紫色的指甲油，戴上金色項練、銀色的手環……」我們還想再加上「綠色的帽子」，老師卻搖搖頭，笑著說：「也不光是加一大堆色彩的描寫，只要把最精采的寫出來就好。否則，再這樣下去，便成了一個唱戲的大花臉了。」

「沒關係。」老師給大家打氣。「你們才剛開始學寫作文。只要多讀、多想、多寫，一定會進步的。」

老師繼續翻張志明的作文簿。突然，她抬起頭來

看全班，把頭晃得像風吹草搖

般：「寫作文哪！最怕碰到這

種事。」她揚一揚手中的作文

簿。

「題目一定要看清楚。如

果連題目都抄錯，那還寫什麼

呢？」她又大聲的說：「張志明

把『我的媽媽』寫成『我的娃娃』

了。」大家都笑出來。老師唸出張志明的「傑作」。

很簡單，只有三句：「我沒有娃娃，只有養一隻吉娃

娃，公的。」

註：目前小學並無特定節次上作文課，隨機於國語課進行。

張志明的讀後心得：

我會請我媽媽教我寫作文，她最會加油添醋。

老師評語：

做人要實在，作文也是。

10. 拜訪與邀請

下課時，陳玟甩著辮子，一蹦一跳的到我座位旁，遞給我一張卡片。

「明天中午放學後，到我家來。」她丟下這句話就離開了。張志明吐了吐舌頭：「喔，約會。」

陳玟立刻回頭，搥了張志明一下，再扔給他一張卡片：「少囉嗦，你也有。」卡片上印了一行英文

矮撈沒油

90

字，我看不懂。張志明猜那是「矮撈沒油」，就是男生女生愛來愛去的意思。我做了個「噁心」的表情，

再打開卡片一看，答案揭曉，原來明天是陳玟的生日，她邀請我們去她家參加生日宴會。

到同學家！這可是新鮮事。低年級時，我頂多和同學互通電話，講的內容也是很有學問的，比如「今天功課是第幾頁」，「明天考什麼乘法」。不知道同學的「家」長什麼樣子？尤其是班長陳玟，她在家也兇巴巴嗎？

媽媽知道了，讚許著拍拍我的頭：「對，要和同學和睦相處。到同學家拜訪，不但可以增加感情，也

可以順便學習應對的禮節。」其實，我們在學校已經

「感情」很好了，不過，當然是以「打是情，罵是

愛」來表示。

媽媽又想到一件事：「到別人家拜訪，可不能空

手啊，要帶件生日禮物去。對了，陳玟最喜歡什

麼？」

「最喜歡罵男生。」我照實回答。

「胡說。」媽媽笑了笑。「就送一本

好書吧。」

天哪！媽媽居然替我把禮物包裝

得寶里寶氣，小天使的圖案，加上粉

紅色緞帶，還打了許多層的蝴蝶結。依我的看法，送給女霸王陳玟的生日禮物，應該是一隻黑色大蜘蛛才對。

到了陳玟家門口，張志明突然緊張起來，悄悄的問我：「等一下進去要稍息還是立正？」我也沒有把握：「可能是坐下來吧。」楊大宏推推眼鏡，搖搖頭：「你們真沒志氣，這是家裡，不是學校，放輕鬆。」

陳玟的爸爸、媽媽對我們說的第一句話，也是：「放輕鬆。」陳媽媽的嗓門和陳玟不相上下，她笑著指揮我們：「坐下，吃東西。」「用面紙擦手，喝汽

93　拜訪與邀請

水。」陳爸爸摟著陳玟，微笑著向我們致謝：「你們能來給小玟慶生，太好了。」陳爸爸好斯文，陳玟怎麼沒有這份遺傳？

陳爸爸還坐下來和我們和同學相處得好不好？」

聊天：「小玟在學校乖不乖？」

不知怎麼的，我們全都口是心非的回答：「她好乖喔，對同學好好喔。」大概嘴裡正忙著吃披薩，腦筋沒有空思考吧？白忠雄居然還冒出一句：「我們最喜歡她了。」

94

看樣子，他應該是喜歡手中那塊蛋糕才對。

陳玟到廚房幫陳媽媽倒汽水。陳爸爸小聲的告訴我們：「小玟是獨生女，從小被寵慣了，脾氣有時候會倔一點兒，這些我都知道。希望她在學校沒有欺負同學。」

忽然，我有一種「被人信任」的感覺。我很誠懇的說出自己的意見：「其實，班長只是愛管人，講話大聲了點兒。

不過，她也是為全班好哇。」可能我的話有道理吧？

旁邊的人都點點頭。李靜又補充一句：「她也不是對

男生特別壞啦。你看，她不是也邀請你們來嗎？」

陳爸爸「呵呵」笑起來，把薯條遞給大家：「多

吃一點兒。難得今天我們家有那麼多小朋友。」

陳玟在家完全變了樣兒，嬌滴滴、羞答答的，還

不時依偎在陳爸爸身旁撒嬌。張志

明在我的耳邊說：「女生都

是變來變去的。」

這是一次成功的生日宴

會；因為我們不但吃得飽，玩

得好，而且還打破了陳
玟家的兩個玻璃杯。

陳爸爸還說：「沒
關係，下次再來
玩。」最重要的，
我們發現，七個人
在臥室裡玩「枕頭
大戰」，實在太精采
了。陳玟還說她生平第
一次「在家裡笑得那麼大聲」。

邀請同學到家裡玩，真是好主

意。媽媽說的沒有錯：「可以增進同學之間的感情。」

星期天，白忠雄、張志明和楊大宏也接受我的邀請，到我家來玩。媽媽準備了火鍋大餐，讓我們邊聊邊吃。

白忠雄說：「伯母，您會不會炒米粉？」

媽媽搖頭：「我比較會炒麵。」並且補充：「不必叫我伯母，叫阿姨就好。」

「那麼下次請你們到我家，我媽媽最會炒米粉。」

「好哇！」媽媽忽然想起什麼，一一的問他們：

「這一次考試，你們考得怎樣？」

楊大宏推推眼鏡，他的鏡片被火鍋的熱氣蒙上一

98

層白霧：「還可以啦，平均九十八分。」

媽媽讚許的點點頭，又問：「白忠雄，你呢？」

「只有數學八十分，其他都九十分以上。」

張志明低著頭喝湯，媽媽問：「張志明呢？」

他伸出手，比了個「五」。我只好替他回答：

「五科平均八十分啦。」

其實，張志明是平均五十幾分。

下一次，我是不是應該考慮，考試剛結束時，不要請同學到家裡玩？

考九十分以上的才可以去我家，這樣才門當戶對。

請勿亂用成語。而且考試成績不代表一切。

11. 我愛美勞

每個星期三，是我最快樂的日子，因為有兩節美勞課。我們的美勞趙老師是全天下最慈祥的老師。

記得第一次上課，趙老師便笑容滿面的告訴大家：

「上美勞課，就是要做些『美』的事，所以，老師絕對不罵你們，你們當然也不可以罵我。」

全班都被她逗笑了。

趙老師還特別強調，她重視的是學習過程，而不是結果。所以，只要對自己的作品盡力，就可以拿高分。同時，作品也由我們自己評分，因為趙老師說：

「只有你自己最清楚有沒有用心。」

趙老師夠奇怪了吧？不過，我真正的意思是「怪好的」。

另一個我們喜歡她的理由是，趙老師有說不完的故事，而且，保證以前沒有聽過。

「今天，我們要畫的是『森林』。」趙老師每次上課，會先告訴我們主題，然後讓學生欣賞一些名家作品，順便說個相關的故事。我們往往聽得入神，目

不轉睛的盯著趙老師。

「現在，你們已經知道這個單元的重點。好，請大家開始畫。」

每個人拿了紙，低頭開始構圖，趙老師很滿意的在各排間巡視。

張志明捧著圖畫紙，走到趙老師面前，開口問：

「請問老師，今天要畫什麼？」

趙老師還不知道她遇到一個天才，皺起眉頭說：

「剛才我說明那麼久，難道你都沒聽見？」她想了想，又和氣的笑了起來：「對不起，一定是我說得不夠清楚。」

班長陳玟卻忍不住站起來，發揮她的正義感：「今天要畫森林。黑板上不是寫得很清楚嗎？」說完，狠狠的瞪張志明一眼。

張志明不好意思的說：「我只顧著聽故事，故事太精采了嘛。」

陳玟不管做什麼事，動作都很快。十分鐘後，她已經畫好了，並且迫不及待的送到趙老師面前，等候鑑賞。

我實在有些替老師擔心。陳玟這張畫，不論左看

104

右看，東瞧西瞧，就只見畫紙當中一團黑墨。這算什麼「森林」？莫非是夜晚的黑樹林？

陳玟還裝模作樣，把她的畫用磁鐵貼在黑板上，倒退五步，瞇起雙眼分析：「我畫的是森林中起了一陣大霧。哪，這是前景，那是遠山。」又點點頭自誇：「我覺得我的畫帶有神祕的氣息。」

趙老師果然被神祕的氣息

嚇呆了，不住的

點頭：「有道理，有道理。你這麼一說，我便看懂了。」

陳玟滿意的收起傑作，又向老師要了另一張紙，說要再畫一張送給媽媽。她的媽媽今天運氣真不佳。

張志明很不放心自己的美勞分數。雖然趙老師一再強調，只要畫得開心，專心去做，人人都可以給自己打一百分。但是，張志明顯然不習慣這種分數，他唯一的一百分是上次月考，數學和國語加起來正好一百分。

他趁大家專心作畫時，悄悄走向前去問老師：

「我這次可以打九十分嗎？」

106

老師說：「當然。」

他回座位，想了想，又上講台問：「我可以打九

十分呀？」

趙老師笑著說：「只要你別再走來走去，我保證

給你九十分，好嗎？」

張志明搔搔頭，說：「我走來走去，就

是要問您，我可不可以得九十分啊！」

趙老師向這位天才投降了。

她雙手一攤，無可奈何的說：

「好，拿起筆來，別再想分數的

事，畫吧。」

不過，張志明又有問題了，他沒有帶筆。

當然，偉大的趙老師是不會輕易被打敗的。她總是會多帶幾套用具，借給那些「除了便當，什麼都可能忘記帶」的人。

我沒騙人，張志明有一次就忘了帶書包。

其實，我猜大家喜歡美勞課的原因，最主要的，應該是它的「自由」吧？不管什麼課程，都有固定答案，標準動作；只有美勞課，幾乎是「愛怎麼畫，就怎麼畫」。根據趙老師的說法，是：「只要你覺得這樣畫起來最美。」

美勞課，讓大家變成自己的主人。而且，趙老師

也不准我們批評別人的作品，因為，每個人都有自己看藝術品的方式。

所以，連陳玟都必須客客氣氣的欣賞張志明的大作。雖然那只是一張白紙，上面畫了三條黑棍兒，其中一根加了太多水，使得棉紙破了一個大洞。不過，

陳玟還是獨具慧眼的說：「我懂，這是三棵大樹，十分挺拔。」

至於那個破洞，陳玟也說：「張志明功力高強，力透紙背，還穿洞哩。」

12. 愛護小動物

「一個人要是沒有愛心，老是欺負別人，便會交不到朋友。」

江老師說得很有道理，全班都點點頭。

她又繼續說：「就算是小動物，也應該受到尊重，不能虐待牠。」江老師說完，轉身看了看張志明。

張志明滿臉無辜的樣子，嘟著嘴站在講台上，他被老師罰站了。

原因是下課時間，李靜親眼目睹一件慘劇：張志明在操場撿顆石子，往榕樹上丟；而樹上，本來歇息著一群麻雀。

不幸中的大幸是：石子一碰到枝幹，麻雀便統統飛走了；不幸中的更不幸是：後來石子掉下來，砸到張志明自己的腳。

這就是他嘟嘴的原因。他說：「我又沒有打中。」

江老師搖搖頭：「已經有犯錯的行動了，該罰。」

她並且補充：「在國外，虐待小動物，還有可能被告到法院呢。」

為了讓

我們成為

「社會上有

用的人」，

老師繼續苦口

婆心的勸導大家愛護小動物，以培養高貴的情操。

「古人曾說，『愛鼠常留飯，憐蛾不點燈』，就

是愛惜每一條生命。不管是小老鼠、小飛蛾，都跟我

們一樣，有活命的權利。」

張志明忽然舉手發問：「老師，你怕不怕老鼠？」

江老師嚴肅的瞪他一眼：「被罰站還講話。」然

後轉頭微笑說：「別以為女生就一定怕老鼠，我偏偏不怕。我們家在五樓，不會有老鼠。」

李靜也舉手表達她的愛：「我每次看到小動物，都覺得牠們好可愛喲。老師說得很對，我們不能欺負小動物。雖然我會怕老鼠，但是絕不會虐待牠。」

老師又點點頭笑了。

接下來，每個人便開始絞盡腦汁，拚命回憶自己有哪些愛護動物的偉大事蹟，才算不辜負老師的教導。

班長陳玟說：「我每個星期都會幫家裡養的小狗洗澡。」

葉佩蓉說：「我摸貓咪的毛，都是輕輕的，怕把牠嚇壞。」

楊大宏推了推眼鏡，看看大家：「每個暑假，我們全家都會到國外旅遊。我去過印尼、馬來西亞、美國、日本、新加坡……」

最後，他終於講到重點：「如果爸爸要帶我們去吃當地的野生動物，我都說：不！」

白忠雄也不甘示弱，報告他的義行：「有一次，我看到一隻螞蟻要過河，我就送給牠一片樹葉當船。」

不過，李靜馬上拆穿他的謊言：「報告老師，這

好像是以前二年級國語的課文。」

老師聽完我們的報告，很滿意的做結論：「你們都是有愛心的小朋友，以後，千萬別學張志明，拿石頭砸小鳥。」

張志明非常激動，忍不住舉手表白：「老師，其實我也很愛護小動物。剛才，我就是知道一定打不到，才丟石頭的。」

江老師皺起眉頭：「那你為什麼還要丟？」

「我就是要證明啊。」

「這是什麼歪理？」江老師又好笑又好氣。

張志明仍然不死心，列舉他種種感人的愛護動物

事件：「我七歲的時候，被野狗咬到，都沒有哭。」

這跟愛護動物有什麼關係呢？

「如果哭了，我爺爺一定會把牠宰來吃的，我爺爺最疼我了。」

但是，老師認為，被野狗咬了，不但可以哭，還要立刻到醫院打針，以免感染狂犬病。

張志明還想再說，可是，江老師已經打開課本，準備上國語課了。

就在這個時候，突然有一隻小

動物跑進教室。

那是一隻土黃色的小狗，全身沾滿了汙泥，髒兮兮的。牠走到講台前，傻呼呼的看著老師。

「哎喲！哪裡來的流浪狗？警衛先生怎麼不把牠趕出去？」江老師離小狗遠遠的，一邊說一邊叫班長拿掃把到前面來。

「老師，吃午飯時，我們可以分一些便當菜給牠，牠好瘦喔。」李靜說。

118

老師卻拿著掃把，搗著嘴，很勇敢的大喝一聲，小狗嚇得立刻跑出教室。

「你們要注意，不可以亂摸流浪狗，牠的身上可能有許多病菌，被傳染到就糟了。」

老師又語重心長的教導我們：「就連鴿子也不要亂摸。牠的糞便中，帶有一種隱球菌，嚴重的話，可能會感染腦膜炎。」

老師叫張志明趕快到走廊洗手，因為他剛才離小狗很近，若是有病菌飛到他身上，他就慘了。

唉，就這樣，我白白失去一個大好機會。本來，我還想帶牠到廁所，替牠洗澡，當場示範「愛護動

「物」的高貴情操呢。

李靜的讀後心得：

狗是人類最忠實的朋友。

老師評語：

要乾淨的才算。

13. 便當傳奇

「謝謝爸爸，謝謝媽媽，老師請用，大家開動。」

我和張志明從一年級走廊經過，聽到這句吃午餐前的「口號」，不禁面對面搖搖頭：「唉，低年級。」

兩年前，我們也是這樣，每當讀全天課，中午吃便當時，老師總要帶著全班唸出這一段「餐前謝詞」。

記得有一次，張志明唸完還被老師罰站，因為他在座位上動個不停。他的理由很充分：「不是叫大家開動，開始動嗎？」

張志明連簡單的一句「開動」都可以拿來搗蛋。

下課時，他告訴我：「我們家吃飯時，什麼都不必說，一下子就吃光光，簡單多了。」

升上三年級，每週有三天全日課。為了配合我們的「身分」，江老師廢除了「餐前謝詞」，改為「餐前叮嚀」。比如：「吃飯時別胡思亂想，以免把湯匙吞進去。」「嚼東西別出聲，以免影響別人食慾。」「打噴嚏要搗嘴，以免汙染飯菜。」等。

122

其中，最難做到的是：「把媽媽準備的愛心便當吃光光。」

道理很簡單：第一，有的媽媽完全不懂小孩的心，便當裡裝滿「可怕」的青椒；第二，大部分的媽媽雖然有愛心，但是沒有空，沒時間準備愛心便當。

不過，幸好學校合作社，非常體諒媽媽的辛勞，可以代訂營養午餐。

老師發給每個人一張營養午餐的訂購單，要大家帶回家，請爸媽參考。

只要你看到營養午餐的廣告單上，印著每日菜單，保證會垂涎三尺：「香酥雞排、清蒸鱈魚、紅燒

牛腩……」簡直是豪華餐廳的派頭。

張志明非常興奮，拿著菜單說：「我一定要訂。」

又津津有味的研究著：「宮保雞丁到底是什麼呢？聽起來好像是皇宮裡吃的一道菜，大概是古時候皇上吃的吧。」

我把菜單拿回家給媽媽，也學張志明，強力推薦：「我們吃的都是高級菜喔。你看，宮保雞丁是皇帝吃的。我們現在只要花五十塊錢，就可以吃到。」

媽媽撐了一下我的耳朵，笑著說：「誰告訴你宮保雞丁是皇上吃的？那道菜又鹹又辣，你才不敢吃哩。我看，你是被每星期三供應的雞塊吸引吧？」

媽媽真是太了解我了。

結果，全班一共二十個人訂購營養午餐。

學校的午餐，是不是真的很營養，我不知道；不過，可以肯定的，是非常「刺激」。

記得第一次吃訂的便當時，大家都很興奮，神采飛揚的等著。因為根據菜單，我們將有「爆炒雙鮮、翡翠蝦球、涼拌金銀」可以大飽口福。

想想看，又是翡翠，又是金銀，等一下便當打開，準讓那些沒有訂的人後悔莫及。

便當送來了，我以超音波的速度將外層塑膠套打開，結果發現「樂極生悲」，裡面根本不如我想像中

的那麼豪華。

「爆炒雙鮮」是三條小魷魚和兩塊甜不辣，「涼拌金銀」則是豆芽和豆乾，至於「翡翠」，應該就是那十幾顆青豆。總之，整個便當看起來一點兒也沒有「皇帝吃的派頭」，我有些失望。

還好，便當中附有五根薯條，彌補大家的失望。

張志明對我說：「只要每天的便當盒裡都有薯條，也還可以。」

誰知道第二天，薯條不見了，只有張志明的便當裡，有一條橡皮筋。

張志明做出噁心的表情，決定把便當帶回家餵小

狗。老師知道了，就把自己的飯盒分一半給他。

「喂，快說！老師煮的菜好不好吃？」我們偷偷問張志明。

他擺出一副「驕傲」的表情，說：「不告訴你，反正比橡皮筋好吃。」

接下來，我們訂的便當裡，不時附有驚奇的「每日一物」。有時是半根牙籤；有時是一顆小石子；還有一次，竟然有根雞毛出現在葉佩蓉的便當裡。

老師忍不住了，氣沖沖的跑去找合作社經理，請他轉告賣便當的商人「發揮良知」，不要對我們下毒，不然，國家以後就沒有主人翁了。

老師還說：「請給我們新鮮的便當。」

便當公司很聽話，馬上改進。隔天，我果然吃到一個超級新鮮的雞腿便當，肉的內部還有鮮血。

老師皺起眉頭：「我的學生又不是野狼，不該吃生雞肉啊。」

不一會兒，白忠雄也大喊：「我的便當裡面有蠶寶寶。」

大家趕快圍過去，原來是一隻灰色的菜蟲。

128

老師只好勸告我們：「你們還是請媽媽抽空準備午餐吧。」

顆金牙。」

其實，訂便當也沒什麼不好，我們每天中午都滿懷期待，等著看誰的便當裡，會有意想不到的奇蹟，倒像在玩「尋寶遊戲」呢。

張志明說：「也許有一天，我會在便當裡找到一

便當公司老闆的讀後心得：

本公司一定改進，一定改進，下次會多放十根薯條。

14. 升旗典禮

有一首兒歌唱的是：「太陽在天空發出微笑……」。然而，太陽發出的其實不是微笑，而是可怕的紫外線。烈日當空，光是靜靜的坐在教室，都可以汗流浹背，何況是排隊到操場參加升旗典禮？偏偏播音室還播出這種歌曲，好像太陽在微笑，我們也精神抖擻的樣子。

可憐的江美美老師，戴著一頂大草帽，外加一把陽傘，還是不停的拿扇子搧風。不過，她仍然不忘警告大家：「抬頭挺胸，否則總導護老師要罵你們了。」

總導護老師走到司令臺上，拿起麥克風，果然開口大吼：「一大早就垂頭喪氣，昨天晚上沒睡飽嗎？」

他又說：「天氣那麼好，卻一點兒精神也沒有，怎麼當國家未來的主人翁？」

如果我現在就是主人翁，該有多好。我可以坐在冷氣房裡喝冰涼的泡沫紅茶。

「不要一晒太陽，就要暈倒。你們太缺乏運動，體力太差，以後要多鍛練。」

總導護老師一說完，葉佩蓉真的倒下去了。江老師趕快請班長和李靜扶她到健康中心。

張志明回頭對我眨眨眼睛，我完全了解他的意思。他的意思是：「如果你也暈倒，那就好了。」他可以名正言順的送我到健康中心。

總導護老師搖搖頭：「你們這些飼料雞，禁不起一點兒考驗。」

還好他接著馬上進行升旗典禮，也許是怕再有另一個人躺下去。據我所知，健康中心只有兩張床。

總算唱完國歌，也升完旗了。我祈禱著，希望趕快進教室，我一定會在座位上乖乖的坐著，絕對不會亂動。我突然發現我們教室是多

麼可愛呀，它居然有四盞吊扇哩。

然而，我最害怕的一件事終於發生了。校長接過麥克風，走到司令台中央，清了清喉嚨，然後開口說：「各位小朋友早。」

大家全拉開嗓門，用力的回答：「校長早。」

上個星期，我們因為回答得太小聲，在校長指導之下，前後一共練習喊了五遍「校長早」。

我繼續用最虔誠的心意，向上天祈求。我的要求不多，只希望校長今天的訓話內容，只有三點。

上個星期，他講了五點，最後，還抽背，幸好沒有抽中我們班。

134

「看到你們這個樣子，校長很難過。大家抬起頭來，看看司令臺上有什麼？」

八班的班長真的很蠢，居然舉手回答：「有校長，有麥克風。」

校長很嚴肅的說：「不對，不是這個答案。不過，這個小朋友有仔細觀察，很好。」

最後，答案揭曉了：「大家看看司令臺的柱子，上面刻了八個字：健康、快樂、勤學、善良。」

然後，校長嘆了一口氣：「像你們這樣，晒太陽就昏倒，哪來的健康？」

於是，他從健康的重要說起，列舉三大理由，以

及四個實例；再談
到學生應如何孝順
父母、報效國家。
最後，鐘聲響了，校
長又勉勵大家：「不要因為一點兒小考驗，就投降。
古時候的孟子說，天將降大任於斯人也……」
突然，一片烏雲籠罩操場上空，接著，竟有稀稀
落落的雨點打在我的鼻尖。一定是我的誠心感動上
天。剛才的炎熱，一下子轉為涼風習習。空氣中可以
聞到灰塵被雨點打起來的味道。
司令台上的校長，以振奮的語氣，繼續勸我們：

「最堅強的人，是不會被輕易打倒的。一點點小雨，根本不算什麼……」

話還沒有說完，天邊「轟隆」一聲，打了個響徹雲霄的雷，雨滴也快速的往下掉。我的帽子，全被打溼了。

江老師連忙將傘撐高，替前面幾個同學擋雨。操場的老師們，有的舉起手護著頭，有的趕快躲到榕樹下。

但是，我們可不敢動；雨滴沿著我的脖子往背脊溜下去。

「嗯……下……下雨了，我們是不必害怕的。但

是校長擔心你們淋了雨會感冒，所以，還是趕快回教室吧。」

總導護老師接過麥克風，大聲指揮：「低年級向右轉，中年級向左轉……」

但是，雨勢愈來愈大了，江老師帶著我們，也不管前後左右，急急忙忙往最近的走廊衝去。

大雨中，我看到校長站在司令台上，皺著眉頭。

司令台有屋頂擋著，不會晒到太陽，也不會淋到雨。

138

我知道我將來要當什麼了。就是校長。

註：從前小學每週數次開朝會，全校統一於操場舉行升旗典禮。

校長的讀後心得：

校長能體諒你們，以後的五點指示，改為朝會三點、放學兩點，這樣就很好背了。

15. 廁所命案

「老師，不得了，您快來看，發生命案了！」

李靜像一隻花豹，衝進教室，氣急敗壞的向老師報告。跟在她身後的，是班長陳玟，也是一副天就要塌下來的緊急模樣。

級任江老師正在批改作業，一聽到李靜高八度的嗓音立刻站起來，瞪大眼睛說：「命案！在哪裡？我

140

們趕快去向訓導處報告。」

陳玟拉著老師往外走，一面報告她的目擊經過：

「剛才，我要上廁所，一打開門，就看見池邊有血滴，垃圾桶裡的衛生紙也都是血，嚇死人。」

老師停下腳步，問她們：「廁所有血？」

「對！不知道誰被殺了？」李靜擺出超級偵探的表情，小聲的回答。

老師搖搖頭，拉著兩個超級偵探走回教室，然後向圍成一團的我們揭曉：「不是命案，沒有人被殺。」

她又低聲補充一句：「那是月經。」

白忠雄耳朵很尖，立刻問：「什麼是月經？」

老師似乎不欣賞白忠雄追根究柢的精神，回頭告訴大家：「以後健康教育課就會教到，現在我要改習作了，別吵我。」

看老師的樣子，就知道「月經」一定大有來頭，絕對不是普通東西，否則老師不會這麼神祕。

當然，愈神祕的事件，我們愈有高度興趣。

大家立刻跑到走廊，找副班

長楊大宏。他每次月考都是第一名，學問淵博，電腦也打得一級棒。「月經」這種東西，一定難不倒他。

楊大宏推了推眼鏡，滿臉疑惑的看著我們：「月經？是女人用的嘛！跟衛生棉有關係。」

白忠雄還想再問，但是上課鐘聲響了，而且楊大宏驕傲的表情很讓人受不了，一直說：「連這個都不懂，真落伍。」於是，我們只好低聲抱怨：「哼，小氣鬼。」然後匆匆忙忙的跑回教室。

身為「女人」的陳玟和李靜，嘴巴更嘟得半天高。李靜說：「我當然知道衛生棉，電視廣告有演呀。」

江老師非常了解我們的心聲，一上課，就笑著說：「以後看到女生廁所裡有血跡，不必大驚小怪。有誰知道什麼是月經？」

每個女孩子，到了青春期，就會開始有月經。

全班都轉頭去看楊大宏。楊大宏的臉紅了，站起

144

來結結巴巴的說：「月經跟我有什麼關係？我又不是女生。」

他推了推眼鏡，又說：「如果要詳細的解答，等我回家查百科全書，明天再交報告給老師。」

江老師連忙說：「不用，不用。我只是讓大家明白，廁所並沒有發生命案，以後別再鬧笑話了。至於月經的形成，以後你們會在健康教育課學到，如果有興趣，也可以回家先問媽媽。」

然後，她很嚴肅的提醒大家：「別管月經了，下個星期就要月考，你們還記得吧？」

下課時間，張志明跑到我座位旁，塞給我一張白

紙，用神祕的表情說：「幫我畫一張暴龍，我就告訴你什麼是月經。」

我不但畫了暴龍，還奉送一隻雷龍和一隻三角龍，因為白忠雄和林天順也想聽。

「張大教授」拉著我們三個人，跑到榕樹底下，喘著氣開始講課：「男生和女生是不一樣的。」

「廢話，我們當然知道。」白忠雄很不高興的打斷張志明的話，又補充一句：「女生比較愛哭。」

張志明瞪大家一眼：「我說的是比較深奧的，請你們不要插嘴。女生每個月，都會流血，那就是月經。」

「如果月經流出來，就要用衛生棉。嘻嘻，好像跟嬰兒包尿布一樣。我有偷看過我姐姐買的衛生棉，還被她揍一頓。」

「男生會不會流血？」白忠雄很有研究精神。

張志明想了想，做出結論：「應該不會，我從來沒有看過我爸爸買衛生棉。」

唉，為什麼世界上會有那麼多稀奇古怪的事情？

如果女生一直流血流個不停，那不是很快就死了嗎？

林天順也忽然變聰明了，說出他的新發現：「難怪女生的皮膚比較白，一定是缺血，變得蒼白。可是，李靜怎麼還是那麼黑？」

我好心的警告他：「千萬別在李靜面前說她黑，她會生氣。她常常偷照鏡子，很愛漂亮。」

上課鐘又響了，我們自己的健康教育課只好草草結束。張志明還打算冒險，偷一片衛生棉來讓我們大開眼界。

我很想回家問媽媽，她是女人，一定知道更多關

於月經的事。如果我懂了，就可以換我當老師，好好給張志明他們上一課。

結果，媽媽竟然說：「你哪裡學來的名詞？該不會是看了不良書刊吧？可別交壞朋友喲。」

教育專家的讀後心得：

我個人對國內的性教育，深感遺憾。

16. 生活競賽

我該不會是熱昏頭、視力模糊了吧？或者我是在做夢，看到不可思議的景象？

我居然看見三年六班的學生，一個個跪在走廊上，拿著菜瓜布，在刷洗地板呢。這麼離奇的事，當然得趕快去向老師報告。不過，我還是慢了一步，管家婆李靜已經站在江老師的座位旁，比手畫腳的說：

「他們先用洗衣粉刷，再用清水沖。」

老師連忙走到教室外探頭一望：「哇！真的用菜瓜布在刷地板，難怪六班老是得到整潔競賽的冠軍。」

說的也是，他們班從開學到現在，已經拿了好幾面錦旗，掛在走廊的班級牌下，威風得不得了。

老師悶悶不樂的回座位，嘆口氣說：「我們三年七班，哪一天才能得到一面錦旗呢？」

這句話，大家都不小心聽見了，也可能是老師故意說給全班聽。這是事實，三年七班到目前為止，班牌底下，還是空盪盪的，一面錦旗也沒有。

學校每週都有生活競賽，包括秩序、整潔、路隊三項，由當週的導護老師和糾察隊評分。我們班的運氣很差，總是在最吵的時候，正好有評分老師經過。

所以，秩序這一項競賽，永遠是名落孫山。

至於整潔，哪裡比得上六班呢？只要從走廊望過去，看見他們光得發亮的地板，誰都會打一百分。路隊這一項，是回家路隊行進時，只要看見校長、主任、導護老師、愛心媽媽……無論是誰，都得高聲有禮的說：「老師再見。」而且隊伍必須整齊，當然更該安靜無聲。

每當星期一，訓導主任在司令台公布上週的各班

152

生活競賽成績時，老師總是低著頭，不然就是找八班的老師聊天。八班也是常常落榜，她們兩個正好同病相憐。

週一的級會時間，各股股長輪流上台報告，每個人都慷慨激昂的說：「希望同學努力，讓我們班得到一面錦旗。」班長陳玟更是大發雷霆，說得聲音都沙啞了：「破壞秩序的害群之馬，難道不會睡不著、做惡夢嗎？」

張志明很無辜的看著老師，因為每個股長都很氣憤的看著他。

他也站起來，為自己辯解：「又不是只有我一個

人吵，也不是只有我一個人亂丟紙屑。」

陳玟立刻反擊：「還有誰？你說啊。」

張志明非常講義氣，沒有說出共犯，反而轉移話題：「我們應該想辦法，最好也拿菜瓜布來刷地。」

老師在一旁馬上說：「不准。」

真不懂老師，竟然不能體會我們爭取榮譽的決心。

154

老師的說法卻是：「我還不了解你們嗎？我當然

知道用菜瓜布、洗衣粉來玩吹泡泡、打水仗很好

玩。」

我起先只想到刷地時，可以順便玩一下水，沒想

到老師神機妙算，已經預測出我們將會有多麼可怕的

舉動了。

不過，張志明好像真的打算改過向善。第二天早

上，他一進教室，就立刻趴在窗戶邊當守衛。

「來了，導護老師來了，安靜！安靜！」

他一看到戴著紅色臂章的導護老師，從走廊另一

頭走過來，便小聲的發出警報，而且立刻奔回座位，

拿出國語課本，做出十分勤學的樣子。

全班也安靜下來，乖乖的坐著。

導護老師走過來了，進到我們教室，看了看，然後在她手中的簿子上寫了幾個字。

我想，一定是寫「三年七班很乖」。再轉頭看張志明，他臉上一副天真無邪天使模樣，對著課本，喃喃唸著。全班靜得很，只聽見導護老師高跟鞋的聲音。

156

沒想到，導護老師卻突然開口說：「教室太髒了，許多同學的桌子底下有紙屑。像這位同學，座位下就有一個塑膠袋。」她指著張志明的桌子。

張志明的表情，從天使轉為戰敗的公雞，垂頭喪氣的把塑膠袋撿起來。

「我已經在你們班整潔這一項扣分了，下一次我還會再來檢查，要記得保持乾淨喲。」

說完，她又踩著高跟鞋到下一班去評分了。

「導護老師好詐，猜不透她是來打秩序還是整潔的分數。」張志明不甘心的說。

陳玟早已走到黑板上，氣呼呼的記下張志明的名字，同時打了兩個大大的「X」，回頭警告他：「不准罵老師。」

張志明很無奈的說：「記就記吧，我們的錦旗又落空了。」

老師進教室，聽完陳玟的報告後，也很不高興的數落我們一頓：「難道只為了打分數，才安靜嗎？」

不過，最後我們總算也得到一面錦旗。因為張志

明撿到五百元，交到訓導處。他的義行，讓我們班加了分，而榮獲當週「秩序」冠軍。

張志明說：「下次，我立志要撿到一千元。」

這是我第一次聽說「拾金不昧」這種事也能立志。

小朋友懂得爭取班級榮譽，我很欣慰。

17. 上體育課

「下一節課，體育股長去借兩個躲避球。」

江老師說完這句話，全班的男生都大呼：「萬歲！」女生則是哀聲嘆氣，只有李靜和陳玟露出興奮而凶狠的眼神。

躲避球實在很好玩，殺來殺去，把女生嚇得半

160

死。難怪她們一聽到體育課，就面帶哀愁，再聽到「去借躲避球」，就像一隻隻驚慌的小雞。

只有李靜和陳玟，在躲避球賽中，絲毫不輸男生。她們不但身手矯捷，躲得很快，連擲起球來也是又狠又準。張志明認為她們兩個，有可能是男扮女裝，在我們班臥底當間諜。

上課鐘響了，陳玟指揮大家排好隊伍，再走到操場邊。陽光很強，可憐的江美美老師撐著花傘，一面用手帕擦汗，一面吹哨子，叫大家做體操、跑操場。

我覺得學校很奇怪，體育課這種「粗魯」的課，怎麼會讓江老師來上呢？應該由長得又高又壯的老

師，例如暴龍老師來上才對。每當上體育課，江老師總是躲在榕樹下，或是站在籃球架的陰影下。我很同情她，她的皮膚那麼白，為了上體育課被曬黑是很可惜的。

而且，江老師只會叫我們做操、跑步、打躲避球。這也沒什麼稀奇，反正我也不能想像穿著高跟鞋的老師，跳起來投籃，或者踮起腳尖吊單槓的樣子。

此外還有一個小小的缺點：江老師不太懂得躲避球的規則。常常，女生抱球跑步，她也不會吹哨子。

有時候，我們抱怨：「女生犯規。」陳玟雙眼一瞪，老師就說：「玩玩就好，別計較，要注意運動家精

神。」

比賽如果沒有分出勝負，總是叫人有些遺憾嘛。

全班做好操了，老師按照座號將我們分成兩組。

我很高興和張志明同一組，他躲得很快，我只要跟在他身後跑就行。

女霸王陳玟

手持躲避球，盯著對面場內的人。

張志明嘻皮笑臉的逗她：

「來打我呀！」

球用力的砸出去，張志明很不幸的被擊中左大腿，慘叫一聲：「哇！好痛。」

然後，便心不甘情不願的揉著腿，走到場外。

現在，球在白忠雄手上。他很沒信心，不敢自己打場內的人，就把球傳給楊大宏。

楊大宏是文弱書生，功課一流，躲避球不入流。他拿到球，

164

使盡全身力氣，朝對面一扔。然而球沒有打中任何人，只是在地上滾了幾滾，最後被陳玫接了起來。

雖然我身材寬厚，目標明顯，但是非常幸運，一直到老師吹哨子結束球賽，我都還沒「死」。

跑。我跟著白忠雄左躲右避，只要球一來，我就回頭

江老師將大家集合起來，數一數雙方場內剩下的人數，然後宣布：「甲隊獲勝。」

張志明一直說：「我們贏，我們贏，我們下次還會贏；你們輸，你們輸，你們輸了不要哭。」

我們立刻歡呼起來。

乙隊的主將是陳玫和李靜，她們當然沒有哭，只

接力賽。」

時，江老師卻突然宣布：「今天的體育課，我們練習

星期五又有體育課，我們男生正想再度大開殺戒

停的擦臉。

打開吊扇。江老師也趕緊拿出溼毛巾，不

的，全身熱汗直流。一進教室，便

鈴也響了。大家的臉紅通通

躲避球賽結束了，下課

打死你。」

句，然後不屑的說：「下次再

是白了張志明一眼，「哼」一

166

真是掃興，怎麼會臨時更改呢？

下課時，陳玟偷偷告訴大家：「葉佩蓉的媽媽寫了一封信，請老師不要強迫她打躲避球。葉佩蓉很怕球，只要當天有體育課，她就哭鬧著不想上學。」

這是我第一次聽說有人不敢上體育課，而且原因是「不敢打躲避球」。躲避球那麼刺激，我們男生都恨不得天天打，最好每節課都去廝殺，怎麼會有人害怕得哭呢？女生跟男生就是不一樣。

白忠雄跟楊大宏交頭接耳，不知道說些什麼。我走過去，只聽到白忠雄說：「好險。」

「什麼好險？」我好奇的問。

白忠雄不好意思的

說：「其實，我也很怕躲避球。球丟過來時，挺恐怖的。上次，我被打中後腦勺，痛得要命哩！幸好今天不打躲避球。」

楊大宏推推眼鏡，也發表心得：「老師能考慮到少數同學的心理，很好，我敬佩她。而且，我也覺得躲避球太野蠻了，不如打高爾夫球。像那些高級的大官，都是打高爾夫球，沒有人打躲避球。」

楊大宏果然是高材生，他說起話總是有條有理。

江老師還不忘訓勉大家：「上體育課，主要是鍛練體魄，培養運動家精神，打什麼球都一樣。現在，體育股長帶大家跑操場三圈。」

然後，她就走到榕樹底下，拿起手帕，搧起風來。

江美美老師的讀後心得：

我是語文教育系畢業的，所以不懂躲避球規則。

18. 海報比賽

江老師一走進教室，便交給我一張好大的圖畫紙，告訴我：「利用下課時間，做一張『慶祝雙十節』的海報。這是訓導處舉辦的比賽，好好畫，可以請同學幫忙。」

天哪，我只不過是愛畫漫畫，老師就以為我是美術天才，竟然交給我這麼一件大工程，怎麼辦呢？

我連忙去向楊大宏求救。他推了推眼鏡，很冷靜的說：「你先在計算紙上打草稿，再畫在圖畫紙上。」

聽完這句廢話，我沒好氣的問：「畫什麼呢？」

「雙十節，就是國慶日。去找一些跟國慶日有關的資料做參考。」他一說完，便低下頭繼續看他的百科全書，不理我了。

聽完這兩句話，我只好愁眉苦臉的走回座位。

張志明拿著一張白紙，興沖沖的跑來：「張君偉，幫我畫一張三角龍，是我妹妹要的。」

我瞪他一眼：「不畫，不畫。都是被你們陷害，才會惹來麻煩。」

張志明無辜的望著手中的白紙，喃喃自語：「完了，完了，這下子，我妹妹非哭上三天三夜不會罷休了。」我只好向他解釋，並且把那張超級特大號的圖畫紙給他看，證明這是件多麼艱鉅的工作。

「你畫完三角龍，我就幫你的忙。」張志明很夠朋友，一口就答應幫我「慶祝」雙十節。

我花了一分鐘，畫好一隻站立的三角龍，還替牠在每支角上各插上一朵花，以博得那位一年級小女生的歡心。張志明十分感動，立刻說：「好！我馬上幫你想構圖。」

我們討論了三分鐘後，終於有了結論：去請教美

勞趙老師。

趙老師微笑著告訴我們：「海報要有標題，可以想一些跟主題有關的文字，擺在最醒目的地方；然後加上配合文字的圖案。最好，有個漂亮的花邊做裝飾，整張海報會更有整體感。」

聽完這一席很有學問的指示，我們默默不語的對看一眼，覺得好像更加困難了。

趙老師又說：「好了好了，我不能再多講了。我是評審，要公平才行。」

回到教室，我拿出計算紙，先畫上兩個大大的「十」。張志明點點頭：「很好，我來想該寫什麼字。」他想了想，突然拍手說：「對了，以前國語課教過，『雙十節的晚上，煙火好像倒吊的菜籃。』」

我糾正他：「是花籃。」

他又絞盡腦汁，發揮記憶力：「還說，『中華民國，祝你生日快樂。』」

太好了，我立刻在紙上畫了煙火和生日蛋糕。

張志明的靈感像瀑布一般，嘩啦嘩啦流不停：

「對了，再畫一些偉大的人物，比如蝙蝠俠、超人、綠巨人浩克、火箭俠、太空飛鼠、孫悟空、哈利波

特、名偵探柯南、海綿寶寶。代表他們都來一起慶

祝。

「海綿寶寶算偉人嗎?」我有疑問。

「為什麼都是男生?」管家婆李靜不知道從哪裡

冒出來,也加入討論。

張志明只好在原有的偉人名單上,繼續加入:

「女超人、哈利波特的女生好朋友妙麗、蝙蝠俠的女

朋友、綠巨人浩克的女朋友⋯⋯」

可是我有意見:「偉人的女朋友,也能算是偉人

嗎?」

李靜說:「我媽媽說,每個偉人的背後,都有一

個女朋友。」

楊大宏本來正專心閱讀百科全書，聽到這句話，立刻抬起頭來更正：「應該是每個成功男人的背後，都有個偉大的女人。」他並解釋：「這句話的意思是要提醒大家，不要只看到男生很厲害，其實是因為有屬害的女生幫助他。」

聽完這句解釋，李靜才心滿意足的走開。

不過，我還是不知道該在海報上畫什麼？總不能畫一堆偉人在看煙火和吃生日蛋糕。

楊大宏覺得這麼重要的事件，一定要向班長請教，我有點懷疑，他只是想找機會跟陳玟說話。

沒想到班長陳玟眉頭一皺，馬上有答案：「雙十節海報，當然要畫上很感人的故事，比如有人在溪邊看到小魚游來游去，便說：我們要像魚兒一樣自由的在水中遊玩。沒錯，畫小魚就對了。」

楊大宏迅速接話：「這個意見太好了，跟我的想法很接近。也可以畫一群小鳥，在天空飛來飛去。沒錯，畫小魚加小鳥就對了。」

我向這兩位聰明人士發問：「小魚跟小鳥跟國慶日有什麼關係？」

陳玟居然說：「小魚跟小鳥很可愛啊。國家生

日，當然要畫可愛的東西，難道要畫可怕幼稚的東

西，比如：蝙蝠俠、綠巨人浩克、火箭俠？」楊大宏

連連點頭，表示贊同陳玟。

張志明很生氣，低聲說：「楊大宏是馬屁精。」

陳玟還有一項建議：畫一面國旗在空中飄揚。

這個建議不錯，我差點兒忘了這是國慶日海報。

但是，我把這個點子改為「一面國旗貼在牆壁上」，

道理很簡單，我不會畫「飄揚」。

最後，「慶祝雙十節」的海報終於大功告成，不

但有國旗、很多英雄的圖片，更有滿天煙火，一個三

層大蛋糕，熱鬧非凡；我將作品送交給江老師。

江老師看了看，笑著說：「這張海報走可愛風，挺有趣的，謝謝你。」張志明不忘表揚自己：「海棉寶寶的貼紙，是我忍痛送給張君偉的喲。」

19. 關於詩

你知道什麼是最精簡、最美麗的語言嗎?

答案是「詩」,這是老師說的。江美美老師是全六班學生覺得他們老師才是校花老師（雖然氣質最好的老師,也是全班公認的校花老師（雖然六班學生覺得他們老師才是校花老師）,所以,只要江老師說「詩是最美麗的語言」,準沒錯。

語言也分美麗、醜陋嗎?

校花

180

老師說：「當然。例如：髒話是醜陋的語言。」

張志明大聲接著說。

「成語也是。」

陳玟立刻舉手：

「張志明胸無點墨，哪會分辨什麼美麗與醜陋的語言。」

張志明馬上反擊：「老師您看，陳玟都使用成語來罵人，好醜陋。」

老師笑著點點頭：「張志明很幽默嘛。」

張志明抓抓鼻子：「我很正經嚴肅啦。」

陳玟得不到注意，氣呼呼的轉移話題：「老師，冬天來了，春天還會遠嗎？」

我背過很多詩。」並即席表演一段：

天還會遠嗎？」

楊大宏很神氣的補充：「嗯，這是英國詩人雪萊很有名的詩句，我在作文班有背過。」

白忠雄又補一句：「我知道下一句：春天來了，夏天還會遠嗎？」

我也靈光一閃：「夏天來了，秋天還會遠嗎？」

182

張志明總結：「秋天來了，冬天還會遠嗎？」

老師笑彎了腰：「自然課學得不錯，知道一年有四季。」

但是，老師說「詩」可沒這麼簡單，並非照樣造句。除了要有意境，讀了讓人感動，詩的基本要求還有「押韻」。

「詩有押韻，唸起來會更生動，有節奏感。什麼是押韻？請看這一首詩。」老師在黑板寫了四句文字。

一片一片又一片，

兩片三片四五片，

六片七片八九片，

飛入梅花都不見。

咦，看起來「詩」並不難啊，每一句的最後一個

字發音都有「ㄢ」，這首詩就是押「ㄢ」韻；有

押韻的確唸起來很順。

老師又說：「這首『詠雪』，文句簡單，卻充滿

禪意。我知道你們不懂禪意，只知道蠶寶寶。總之，

這首詩是在描寫冰天寒地中，一片片雪花飄落在雪白

梅花上的那種蒼茫與寂靜。唉，我也知道你們不懂蒼

茫與寂靜……」

老師似乎對我們很失望，陳玟果然沒有辜負老師平時的期望，舉手安慰老師：「我懂，我知道什麼是寂靜。」然後她轉過頭警告全班：「你們統統給我安靜，鴉雀無聲，這就是寂靜！」

張志明扮個鬼臉：「老師，班長又使用醜陋的成語威脅我們。」

李靜指著張志明，搖頭宣告：「你的星座顯示，今天你烏雲罩頂，不宜說話。」

真沒想到連李靜都以成語來算命，陳玟有資格當選「本班最有影響力的人」。

老師看看手錶：「哇，一節課都過一半了，我們

還沒進入主題。其實，老師今天就想讓大家練習押韻。」

「別緊張，這不是考試。請大家模仿『詠雪』的前三句，然後創作最後一句，完成一首古詩。因為這是七字一句，共有四句，所以是『七言絕句』。

老師還提醒：「記得要押韻，最後一句必須費心想想，讓你的詩在簡單中流露出不平凡。」

186

老師話還沒說完，張志明已經舉手：「我想好了。」

老師嘖嘖稱奇：「古時候有位偉大的詩人，走了七步，便寫好一首詩，沒想到你比『七步成詩』還厲害，七秒成詩。」

張志明笑咪咪站起身，大聲朗誦：「一片一片又一片，兩片三片四五片，六片七片八九片，用完就丟真方便。」

他還解釋：「題目是『詠紙尿褲』。」

在全班熱烈的笑聲與拍桌子聲中，張志明愈演愈過癮：「啊，我又有了！」

他更大聲的朗讀著：「一片一片又一片，兩片三片四五片，六片七片八九片，有些吃有些敷臉。」

題目是「詠西瓜」，因為他的姐姐都拿西瓜皮敷

臉。

老師皺著眉頭：「張志明的詩是有押韻啦，只是……」

「只是沒有蒼茫與寂靜！」陳玟不愧是班長，一秒鐘立即接話。

張志明不甘心的說：「西瓜上沒有蒼茫，但是有蒼蠅啊。」

李白的讀後心得：

我真慶幸我是生在古代。

20. 我的志願

升上三年級，對我而言，最特別的，就是功課表上了多了一些奇怪的課程。例如：電腦、團體、體育、彈性課程……。

現在，我已經知道，老師決定上書法課的那一天，她絕對不會穿白衣服；如果寫作文，就是要拚命想一些字，把它填在作文簿裡。體育，是打躲避球時

190

間，也是男生可以光明正大欺負女生的時間。有時，

有閱讀指導，會到圖書室看書；看到有趣的地方，可

別笑出來，因為在圖書室中必須保持肅靜。

只有「說話」課（註），一直讓我搞不清楚。平

時，老師最常掛在嘴邊的，就是「不要說話」，如

今，竟然在課表上出現「說話課」，這不是為難老師

嗎？老師太可憐了。

不過，江老師法力無邊，第一次上「說話」課

時，她依然警告大家：「不要講話。」當然，她又補

充：「我請你發言時，才可以說。」

經由老師的解釋，我們才知道，原來「說話」課

要教大家正確表達自己的想法，包含說話的技巧、禮節、應用等。這麼說來，「說話」還挺有學問的。

為了讓大家學以致用，老師每次都訂定一個主題，供大家練習。

這一次，就是請大家說一說「我的志願」。

「想想看，將來長大後，你最希望從事什麼工作？把理由說出來，還要報告如何達成這個目標。」

江老師才說明完，陳玟立刻舉手。

她站了起來，字正腔圓的說：「我將來要當記者，因為可以發揮正義。我會把壞人一個個報導出來，讓他們難逃一死。」

說完，還回頭瞄了張志明一眼。

職業和陳玟真是完美的搭配，何況，這個

她早就在進行職前訓練。每天，她總是虎視眈眈的盯著我們，再把不守規矩的同學登記下來，記在她的筆記簿裡，誰都沒看見，讓我們「死」得不明不白，真狠。

老師很讚許陳玟的勇氣，不過，她略加糾正：

「是要讓壞人改過向上，不是難逃一死。」

陳玟講話老喜歡賣弄成語，害得老師也得用成語來回答。不知道的人，還以為她們在拍武俠片哩。

李靜也接著發表她的志向：「我一定會當議員，但是還沒有決定當什麼議員。因為根據我的星座和血型，最適合為民服務。」

聽完這一番話，我只希望她將來服務的時候，能夠輕聲細語，笑容可掬，千萬別像現在這樣，好像虎姑婆。不過，話又說回來，電視上的議

194

員，也很像虎姑婆。

楊大宏推了推眼鏡，慢條斯理的說：「我嘛，以後要當醫生，我爸爸已經決定好了。所以，我要努力求學，還要學英文；醫生都是寫英文的，你們知道不知道。對了，各位同學，以後你們找我看病，我會打折優待。」他看了老師一眼，又補充：「老師免費。」

老師笑出聲來，代大家回答：「謝謝，不過，大家還是健健康康的比較好。」

沒有人舉手了。老師鼓勵大家：「每個人都要思考一下，反正作文課還是得寫這個題目。」

她望了望白忠雄：「你呢？你將來想當什麼？」

白忠雄不敢說話，害羞的搖搖頭。

老師給他打氣：「勇敢一些，訓練自己的口才。

要知道，不管你準備從事什麼職業，總得口齒清晰、

說得清楚，這樣，對方才能明白。」

白忠雄終於鼓起勇氣站起來。老師很高興，點頭

稱讚：「對！現在敢開口，以後才敢開口跟人說話。」

只可惜白忠雄的志願不需要對人開口，他小聲的

說：「我將來要養牛。我爸爸說，大家都喝鮮奶，養

乳牛會賺錢，我們在鄉下有一塊地，可以當牧場。」

這麼說來，白忠雄應該好好的上音樂課，以便

196

「對牛彈琴」才對。

老師露出詫異的眼光，看著白忠雄：「你好厲害，小小年紀，就有生意頭腦。」

老師太孤陋寡聞了，白忠雄很會做生意，常常拿漫畫書來租給同學，換取白紙或糖果呢。

老師又走到張志明面前，笑著問他：「你呢？張大哥。你該不會準備當賽跑選手吧？」

老師會這麼說，完全是因為張志明的媽媽「出賣」張志明。她在上次「學校日」的時候，告訴老

師：「張志明這個『猴囝仔』常常跑得讓我追不到。」

張志明搔搔腦袋，回答老師：「我還沒有決定，她

我有一點兒想當老師。」這個答案很讓老師震驚，她

停了一下，才恢復鎮定說：「那麼你從今天開始，不

許再犯規，否則將來怎麼管學生？」

張志明卻回答：「我隨便說的啦，上次看作文範

本，裡面就是這樣寫的。我還是當別的好了，老師常

生氣，會老得比較快。」

老師沒好氣的說：「知道就

好。」又轉頭問我：「張君偉呢？」

「我要當科學家，成為社會上有用的人。」這種

答案，也是照抄作文範本的。

「同學們，你們的志願都很好，從現在開始，要好好努力，將來才會實現喔。」老師做了結論。

下課以後，張志明對我說：

「說話課就是騙老師的課。楊大宏上次告訴我，他以後要當兒童樂園的老闆，現在卻變成醫生。」楊大宏趕緊辯解：「我這樣說，爸媽才不會囉嗦；寫在作文簿上，才會得高分。」

說的也是。上次，我告訴媽媽，將來想當漫畫家，她卻指著我的額頭說：「叫你不要一天到晚看漫

畫，就是不聽。」

真不知道媽媽小的時候，上說話課時，是不是告訴老師：「我將來要當一個在家洗衣燒飯的人。」

如果她這樣回答，分數一定很低吧。

註：從前小學國語課中，會有一節要教導學生如何說話，正確表達。

君偉爸爸的讀後心得：

「志願」這種東西，小時候才有，要好好珍惜。

本班的生活公約

小朋友，你們班有沒有生活公約？有的話請寫下來，沒有的話，也請你試著擬定一份。

生活公約

附錄 2

我的志願（ㄨㄛˇ ㄉㄜ˙ ㄓˋ ㄩㄢˋ）

人物	志願	評語或說明
陳玟（ㄔㄣˊ ㄇㄟˊ）	記者（ㄐㄧˋ ㄓㄜˇ）	（舉例：我覺得她更適合當法務部長。）
李靜（ㄌㄧˇ ㄐㄧㄥˋ）	議員（ㄧˋ ㄩㄢˊ）	如果想為民服務 可以當老師
楊大宏（ㄧㄤˊ ㄉㄚˋ ㄏㄨㄥˊ）	醫生（ㄧ ㄕㄥ）	做醫生很難
白忠雄（ㄅㄞˊ ㄓㄨㄥ ㄒㄩㄥˊ）		
張志明（ㄓㄤ ㄓˋ ㄇㄧㄥˊ）		
張君偉（ㄓㄤ ㄐㄩㄣ ㄨㄟˇ）		
我自己（ㄨㄛˇ ㄗˋ ㄐㄧˇ）	老師	可以都小朋友
我爸爸（ㄨㄛˇ ㄅㄚˋ ㄅㄚ˙）		
我媽媽（ㄨㄛˇ ㄇㄚ ㄇㄚ˙）		
好友（ㄏㄠˇ ㄧㄡˇ）（刪除）		
好友（ㄏㄠˇ ㄧㄡˇ）		

王淑芬

如果說，我會成為作家，是因為我兒子，應該沒錯吧。理由是，【君偉上小學系列】的《一年級鮮事多》是我出版的第一本書，而這本書就是為我兒子而寫的。不少讀者知道這件事，每次在「與作家有約」的活動時，小朋友會好奇問我：「王老師，您的兒子就叫做張君偉嗎？」我在此回答，不是。如果我直接以他的名字當書中主角，他會覺得困擾吧，因為書中寫到的君偉，是「白白胖胖的」，呵呵。

民國八十二年出版的這第一本書，首先是在報上連載，後來出版社以《新生鮮事多》出版。那一年，我擔任某所小學的教務主任，因此，沒有辦法帶著兒子上學，陪他度過新鮮人的新鮮日子。只能在下班後，纏著他，要他講講在校發生的趣事。某日他回家後告訴我：「今天第一節，老師帶我們在廁所上課。」哇，為什麼？我興味盎然的要他一五一十說給我聽；我兒子其實是一個擅長說故事的人，把「老師如何教一年級學生正確蹲馬桶」這件事，描述得生動極了，我聽了覺得逗趣得很，心想何不把這些鮮事寫出來，讓其他不在教室現場的爸爸媽媽也分享這些成長趣事。於是，就這樣成就了一篇篇校園故事。當然，隨著兒子升上二年級、三年級……，我的這套書也一本又一本的跟著升級。終於，寫完六本專為小學一到六年級量身打造的「生活故事」，是臺灣首創，也是

我對孩子們的一點心意。

目前重新出版的這套書，改變的是：刪掉已不合當前狀況的篇章，加寫新的故事，文字上也大做修改。這些故事，除了希望帶來樂趣，也能引發對教育、親子、兒童成長等諸多議題的思考。當然，做為文學讀本，讓大小讀者練習一下如何寫文章，也是不錯的參考。也許讀者們會看到，文學發想，可從身邊最熟悉的人事物開始，因為本套書就是如此。

本套書插畫也該好好介紹，由好友賴馬先生出「馬」協助。賴馬與我，其實也認識十多年了，有趣的是，我們竟然同月同日生，都是金牛座，雖然我比他年長幾歲，倒也是聊得來的朋友。他為這套書畫的精緻插圖，讓文字生色不少。讀者如果細看，有些篇章的插畫，是由文字中再加以延伸，光看圖又增加許多笑點，請一定要找找看。

我非常喜愛小孩，也以「為小孩寫作」而感到光榮；這套書，或許就做個見證。很多年前，我走進圖書館想借書，親眼見到一位小朋友對著桌上正在閱讀的書，憋著笑，再幾分鐘後，他終於忍不住了，拍著桌子大笑出聲。我偷瞄一眼，正是《四年級煩惱多》。我沒有掃興的走過去自我介紹：「喂，我就是作者。」只是開心的「立志」著：「我要為所有想在閱讀中，至少得到樂趣的孩子一直寫下去！」到現在，我依然堅守著這個志業。

王淑芬的
個人檔案

生日──很久很久以前的 5 月 9 日

出生地──臺灣臺南

小時候的志願──芭蕾舞明星

最喜歡做的事──閱讀好書，做手工書

最尊敬的人──正直善良的人

最喜歡的動物──五歲小孩

最喜歡的顏色──黑與白

最喜歡的地方──自己家

最喜歡的音樂──女兒唱的歌

最喜歡的花──鬱金香與鳶尾花

畫者簡介
賴馬

1968年生，27歲那年出版第一本書《我變成一隻噴火龍了！》即獲得好評，從此成為專職的圖畫書及插畫創作者。

賴馬的圖畫書廣受小孩及家長的喜愛，更於2016年榮獲博客來年度華文暢銷作家NO.1的殊榮。目前一家五口在臺東玩耍生活著，並於2014年夏天成立了「賴馬繪本館」。

代表作品：《愛哭公主》、《生氣王子》、《勇敢小火車》、《十二生肖的故事》、《早起的一天》、《我變成一隻噴火龍了！》、《帕拉帕拉山的妖怪》、《金太陽銀太陽》、《胖先生和高大個》、《猜一猜 我是誰？》、《慌張先生》及最新作品《朱瑞福的游泳課》等。（以上皆由親子天下出版）

君偉上小學 ③

三年級花樣多

作　者｜王淑芬
繪　者｜賴馬

責任編輯｜許嘉諾、熊君君
美術編輯｜林家蓁
行銷企劃｜林育菁

發行人｜殷允芃
創辦人兼執行長｜何琦瑜
總經理｜王玉鳳
副總監｜張文婷
版權專員｜何晨瑋

出版者｜親子天下股份有限公司
地址｜台北市 104 建國北路一段 96 號 11 樓
電話｜(02) 2509-2800　傳真｜(02) 2509-2462
網址｜www.parenting.com.tw
讀者服務專線｜(02) 2662-0332　週一～週五：09:00~17:30
讀者服務傳真｜(02) 2662-6048
法律顧問｜瀛睿兩岸暨創新顧問公司
客服信箱｜bill@service.cw.com.tw
總經銷｜大和圖書有限公司　電話 (02) 8990-2588

ISBN｜978-986-241-554-2（平裝）

出版日期｜二〇一二年七月第一版第一次印行
二〇一八年七月第一版第二十三次印行

定價｜250 元　書號｜BCKC0011P

訂購服務
親子天下 Shopping｜shopping.parenting.com.tw
海外‧大量訂購｜parenting@service.cw.com.tw
書香花園｜台北市建國北路二段 6 巷 11 號　電話 (02) 2506-1635
劃撥帳號｜50331356 親子天下股份有限公司

國家圖書館出版品預行編目 (CIP) 資料

三年級花樣多 / 王淑芬文；賴馬圖 .--
第一版 .-- 臺北市：天下雜誌, 2012.07
208　面；19x19.5　公分
ISBN 978-986-241-554-2(平裝)

859.6　　　　　　　101012004

親子天下
Education・Parenting
Family Lifestyle
www.parenting.com.tw